中國水墨

长安八家卷

图书在版编目(CIP)数据

中国水墨.第2编，长安八家卷/长安八家绘.—北京:
北京燕山出版社，2005
  ISBN 7-5402-0839-2

  Ⅰ.中... Ⅱ.长... Ⅲ.水墨画－作品集－中国－现代
Ⅳ.J222.7

中国版本图书馆 CIP 数据核字 (2005) 第 100260 号

中国水墨　长安八家卷

主　　编:	赵蒂嘉
责任编辑:	李海滨 徐勇 陈果 杨燕君
设　　计:	易瑞东 王淑萍 李煜润
出版发行:	北京燕山出版社
地　　址:	北京市东城区灯市口大街 100 号（100006）
出　　品:	北京燚塿堂文化艺术中心
邮购电话:	86-10-81785871
联 系 人:	董保建
经　　销:	各地新华书店
制版印刷:	金秋彩色印务有限公司
开　　本:	850 × 1165 1/16
字　　数:	18.6 千字
印　　张:	9.75
印　　数:	001-5000 册
版　　别:	2006 年 10 月北京第 1 版
印　　次:	2006 年 10 月北京第 1 次印刷

ISBN 7-5402-0839-2

总定价: 960 元（全二十册）

这不仅是由于题材（或山水或人物）的区别，更重要的乃是每位画家在各自的语言建构和风格调质上似乎很难从表面上归集到某一个同一审美范式中。如崔振宽山水的雄厚气象，王炎林人物造型的怪诞丑拙，陈国勇那种以色敷写的山貌云态，江文湛花鸟笔墨之纵放奔逸等等，将他们视为出于同一地区、具有相同或相近艺术追求的画家群体显然是勉为其难的。但是我想如果将他们以及整个西安画坛放在一个更为广阔的文化视野中去考察时，那种渗透在他们绘画语言和风格中的共同因素毕竟还是会彰显而出的。

情理并茂　秦腔新韵

文／樊波

其实我对崔振宽、王炎林、江文湛、张振学、郭全忠、罗平安、陈国勇、张立柱其人其名其画并不陌生，而且我还曾在为崔振宽先生写一篇评论文章时，对西安画坛的诸家作了一番了解，但当我将以上八位画家材料放在一起作整体考量时，还是顿然生出几分诧异。

这不仅是由于题材（或山水或人物）的区别，更重要的乃是每位画家在各自的语言建构和风格调质上似乎很难从表面上归集到某一个同一审美范式中。如崔振宽山水的雄厚气象，王炎林人物造型的怪诞丑拙，陈国勇那种以色敷写的山貌云态，江文湛花鸟笔墨之纵放奔逸等等，将他们视为出于同一地区、具有相同或相近艺术追求的画家群体显然是勉为其难的。但是我想如果将他们以及整个西安画坛放在一个更为广阔的文化视野中去考察时，那种渗透在他们绘画语言和风格中的共同因素毕竟还是会彰显而出的。对此我们可以从中国古代画史和现代画史这两个方面去进行探究。

在唐代长安（即西安）乃是全国政治经济和文化的中心，从而也是全国绘画的中心。当时最杰出的天才的画家或就出生在长安，或来到长安而显名于世的。如长于山水的李思训、李昭道父子，如精于人物的张萱和周昉，又如唐代著名的花鸟画家边鸾，再如以绘走兽见称的曹霸和韩干，此外还有唐代最伟大事业的画家吴道子等等，正是他们将中国绘画推向了一个新的高峰。应当说，从六朝到隋唐五代，中国绘画经历了一次重大的审美转换。从艺术风格角度来讲，这就是由从玄远清通向富丽雄壮的转换。李思训、李昭道和张萱、周昉大约属于富丽之路数的。史称李思训"国朝山水第一"，"笔格遒劲"，"金碧辉映"。而张萱、周昉的人物画乃"妍巧"、"幽闲"、"意浓态远"，"采色柔丽"；与此相对应，曹霸、韩干和吴道子则大致属于雄壮一路，史称曹霸、韩干画风"笔墨沉著"，"下笔于钧力"。"雄姿逸态噗夺真"。而吴道子更是"气

华岳雄姿　136cm×68cm／2005年　崔振宽

壮画思"、"落笔生风"、"极造化"、"气韵雄壮"。由此可以见出，"富丽"和"雄壮"构成了唐代绘画两种主导的风格倾向——我想说，这两种风格倾向的形成，不仅与唐代强盛的政治、经济状况相关。而且还与长安这一特定地域环境以及由此而酿成的文化风气和精神气质密切相连。

唐代的绘画成就实在太辉煌了，它不仅为后世山水画确立了一种基本的艺术形态，而且也为后世人物画创构了一种理想的模式。尽管唐代离我们的时距已然很远，长安昔日的繁华似也尘封为一种黯然的记忆……但我确信，唐代绘画传统并没有中断，尤其是由这一特定地域环境所培植出的文化和精神气质依然在当今西安画坛内在的保留着，具体到绘画的语言风格来看，那种雄壮和富丽的审美倾向依然从当今西安画家笔下透发出来，所以我们在崔振宽、张振学、罗平安的作品中还是可以感受到一种"沉著"的笔墨风范和"雄壮"的气象。推远一点，我们在"长安画派"的巨擘石鲁作品中可以看到这种笔墨沉著、雄壮气象更为彻底而充分地展露。进而我们还在陈国勇山色浓烈的作品中感到那种"金碧辉映"的"富丽"格调之沿续。这里可以暂且撇开与古人相比之艺术水准高下不论，重要的是，与传统的内在贯通，一种绘画语言形态以及精神气质上的无法割舍的内在贯通。而且这种贯通决非人为有意造成的，乃是一个地域环境及其文化风气的自然传承。

对于这一贯通和传承，我们还可以从另一个传统背景来加以对照考察。人们知道，中国绘画从南宋以来逐步由北向南迁移，后经元明清的发展形成了一种"南宗"风调——它一方面突出和强化了"写意"主观性，另一方面则在这一基础上推崇秀雅、平淡的风格趣味，从而使唐宋院画那种雄壮、富丽的语言形态置换为一种渐次消褪的意象。我们看到，这种"南宗"风调，这种秀雅、平淡的风格趣味与中国现代绘画的时距要切近的多，因而它的影响几乎笼罩性的，民国年间的绘画革命只是引进了一些西画因素，但却并没有根本打破这种笼罩性，到了二十世纪五六十年代，我们在江浙地区再度看到了这种"南宗"风调的艺术后裔，无论是黄宾虹、潘天寿，还是傅抱石以及名蜚画坛的"江苏画派"，大抵上都是"南宗"现代传承，黄宾虹固然是笔墨华滋，气象葱茏，但毕竟还是"风骨儒雅"、"从容慊和"的。而傅抱石那种恣肆酣畅的画风还是终究脱不掉"秀逸"的神韵。这是与雄壮、富丽画风明显不同的传脉。

话题不是回到如今的西安画坛吧。以上的论述表明，一种艺术传统，在以地域文化为依托、并形成某种精神气质时，它对后世的艺术形态的塑造作用是无形的，不可忽视的。我们强调指出这一点，并非是让人在缅怀中意满自得，也非为使人回到过去，而是力求在一个更为深远的文化背景中彰显出当今画家艺术创造所

《农家丰盈多喜庆，红黄蓝绿满长安》180cm×98cm/2006年 王炎林

凝结着的某些共同的审美因素——这一因素换到另一个地域空间中去看恰恰却会显出它的个性特征。应当说，相对而言于唐宋绘画传统，当今西安这八位画家似更多地保留和延传了"雄壮"的因素，并赋予了它以现代的新的语言内涵，但却很大程度上离弃了"富丽"的倾向。

崔振宽、王炎林、江文湛、张振学、郭全忠、罗平安、陈国勇、张立柱，其中除了江文湛外，其他人的笔墨语言大都沉厚、朴拙，由此而支撑起来的造型形态当然接近"雄壮"——我想补充说，这里倒不是画家对传统的主动解读，而是一种自然延续。问

《多少古今事，付于谈笑中》130cm × 98cm／2006年 张振学

题在于，西安当今画家为什么只偏于雄壮，但却离弃了"富丽"？因此有必要提及中国现代画史以赵望云和石鲁为代表的"长安画派"了。

早在二十世纪二十年代，赵望云曾创作了《疲劳》、《雪地民生》、《贫与病》等反映民间疾苦的画作，三十年代的"农村写生"更是将这一主题深化和扩展开来。他继而又提出"到民间去"的口号。自称"是乡间人"，认为去描绘那些在忍痛挣扎中生活的、粗衣粝食工作中的男女，表现劳动生活的境况和劳动阶级的情感，老师绘画艺术至高任务。与此相对，他鄙弃上等阶级、富人阶级、权力阶级，认为他们与平民相比，情感窄得多，穷得多，低卑得多。这些言论以及创作取向显然是绝弃"富丽"格调的。我想赵望云的主观和取向并不是纯粹的个人选择，而是那个时代苦难的必然酝酿，在那个哀鸣遍野的土地上是绝迹"秀雅"、"缱绻"和"富贵"的，而只能铸造出沉郁、朴厚的笔墨形骨，绘画形式仿佛不再是对生活的升华，而是现实的直接而有力的复写，是纯朴形象的纯朴的表述——这一切构成了"长安画派"的基本腔调。后来石鲁在一系列革命题材中将这一腔调更加高亢地喷吐出来，使

那种沉郁朴厚的笔墨形骨锤炼得更加雄健、壮阔。这是继唐代之后在长安地区绘画的又一种新的审美境界。

我们这里将这种境界，这种笔墨形骨的吐露，用人们熟知的词语来表述——秦腔。应该说，这也是贯穿在上述八位画家语言风格中的共同因素。我想说，无论是对西安画坛而言，还就其它地区画家来说，都不能小看这一共同因素潜在的支配性的影响。可以说，正是由于唐代绘画这一浓厚的传统背景，更由于长安画派所建立起来的笔墨形骨和审美境界（秦腔），才使得当今西安画坛任何一位画家，一出手就会拥有一种不同其它画风的自家面目和气象与前辈光师一样，这八位画家踏实于他们所拥有的土地，贴近平凡的民众，直面朴拙的生活，所以他们的一笔一划自然流露出其他地区画家绝难有的品质，如同西北高原一样笃实、粗砺而雄浑。

然而我们看到，如果他们仅仅停留这一层面，其艺术成就就会有很大的局限性——事实上，却令我们诧异的是，这八位画家在绘画语言和风格上都有着明显的突破和新的建树。在山水方面，崔振宽十分注重画面的整体感和气势。笔力沉厚，内蓄千钧，用墨或焦干或润泽，著色亦与笔墨融为一体，能于单纯中见出丰富，有些作品甚至产生类似西画的笔触效果，十分耐看。这些因素在崔振宽的作品中并不是各自独立的，而是为了表达审美效果有机地凝合起来。更重要的，崔振宽的山水还参合了黄宾虹的笔调墨韵，从而使得他的山水于浑朴的体格中流迥出一般北方画家不具备的风调。此外，与一些北方画家相比，崔振宽的山水，无论是大幅还是小品，都给人一种完整感，这种完整不是面面俱到，不是一种收拾工夫，而是胸襟和修养圆融自足的体现。张振学的山水在表现浑厚雄健的风骨气象和画面的整体感上，与崔振宽一样继承了先辈的衣钵，但他的山形结构更趋参差变化，在大开大合的山川统摄中追求局部物象的精微和巧妙，画面的经营位置之自由调度使作品往往既具开阔的境域，又具有自由多重的视野，当然张振学山水章法还是以高远最为出色，山巅上描绘了北方山水的雄峻巍峨。当年赵望云就曾说过："群山巍峨起伏的雄姿，却给予我们一种不可磨灭之影"。应当说，张振学山水的高远构图也给予了我们一种不可磨灭之影。他的用笔同样以浑朴见著，但却更起变化奔放，常常是中锋、侧锋兼用并施，能与写实之中激荡着写意的风范，加之墨彩交织，对比强烈，所以作品在给人一种视觉震撼的同时，又能产生一种畅达的美感。而罗平安的山水大体可以分为两个类型：一类与长安画派、与他的老师方济众在风格气质比较接近，但他着重描绘了北方山岗的密密丛林，作品已然打上了个人的印记。更重要的是，他在描绘丛林所采用的点、皴笔墨语言已为他第二类型的山水准备了伏笔。第二类则是罗平安山水画比较典型的笔墨符号样式，与崔、张两人相比，罗平安在

《焦墨山水》68cm × 136cm／罗平安

笔墨形式上更见独创性，那种由点和短线所组成的山水图像有一种装饰意趣和单纯化的美感，还使人联想起西方画家修拉和西涅克的"点彩"法。应当说，这种笔墨符号样式并非是一种纯形式的构造，它从一个别有意味的角度表现了西北山川风物的情态。需要补充的是，尽管罗平安的山水呈现出一种排列化的符号形式，然而支撑这些符号的笔墨由于和长安画派先师之气脉具有内在的关联，所以仍然具有一种深度，从而很好维护着中国山水画的审

美品质。陈国勇的山水在西安画坛可能是另属一番光景了。浓烈而带有神秘意味的色彩效果，平中见奇而往往出人意表的布局，以及极具个性化的多样的笔墨形式，使人会将他与前一时期的"新文人画风"联系列一起——其实陈国勇的山水品貌似乎是很难加以归类的，不过我们从他那沉雄的笔墨内涵中还是窥见了他与长安画坛先辈丝缕缕的关联。但显而易见的是，陈国勇在追求新的旨趣、境界、新的笔墨形态，新的色彩效果上，是上述画家中

《云卧青山静》68cm × 136cm／2006年 陈国勇

《庭院小趣》68cm × 136cm/2006年 郭全忠

走得最远的一位。在审美格调上,他打破了长安画坛常见、惯有的格局、遂使这一地区的山水画别开生面,陈国勇善于用色,强调色的对比(补色)关系,甚至以色来概括山形结构和营造画面氛围,有时山形色块与树木的笔墨穿插交相映衬,极富意趣——在对形式美的表达和把握上,陈国勇是具有很高的敏感度。陈国勇说他对石涛《画语录》有很深的体会,我相信这一点,因为他的山水成就和自我立法的独创性,表明他与石涛的心是相通的。

再来看人物画。王炎林人物画令人怵目惊心,它造型怪诞,甚至丑拙,笔墨狂放,色彩浓烈,大致是可以归属于"表现主义"风格的。但是他绘画的表现"元素"却仍然来自他生活的土地,来自与他生命体验息息相关的周遭的人群。王炎林在解释他的画"表现主义"倾向时说的很好:"我的绘画中没有优雅","它刚好是破坏文雅的,一种心理烦躁的发泄,一种呐喊"。"因为我心中充满了焦虑"。从表现上看,王炎林人物画的"表现性"是"热"

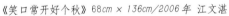

《笑口常开好个秋》68cm × 136cm/2006年 江文湛

的，但其实沉积在"热"的背后的思考却是"冷"的，充满了理性的透辟和尖锐。例如他说："我的画'人物皆丑'，是因为人类贪婪的本性；我的画乱而无序，是原本社会真实的存在"。这一表述所含有的思想深度并不是一般画家所能达到目的的。应当说，王炎林原本亦可画出很优雅（文雅）的作品，如他的画作《夏》、《馨》、《大辫子》等，造型生动，笔墨表达也很精到，而他却创作出与之太相异趣事的"丑"、"怪"风格，完全是"思想"的艺术产物；而郭全忠的人物画从表面上看，似乎偏于"理性"，我们在他一些注重"写实性"的作品可以清楚见出这一品质。尽管他的"写实性"并没有妨碍他笔墨抒写上的自由畅达——这在他后期的一批画作中表现得越来越明显。但在我看来，郭全忠乃是一位拥有丰富情感的感性派画家，他对他所熟悉的乡土民众以及儿童都拥有一份十分真挚的爱，所以郭全忠后期的一批人物画在造型虽然也趋于夸张、变化，但却没有走向"怪诞"和"丑拙"，与王炎林相比郭全忠的人物画显然不是一种呐喊，一种焦虑发泄，而是以一种真挚温润的情感与生活对象的相渗相摩，他的造型和笔墨正是在这种相渗相摩中力求将其淳朴而动人的品貌发掘出来。在这方面，他与"长安画派"有着更为紧密的联系。他当然没有止于这种联系，无论是在造型还是在笔墨上，他都有很独到的表述，在西北众多表现类似题材的画家当中，郭全忠的人物画风是令人一眼即可辨出的。在我看来，张立柱的人物画风，大约介于感性和理性之间，他的人物造型以拙朴见长，人物背景语言也显得饶有情趣，可以看出画家在对生活感合的基础上所表现出的巧思别裁，在这一点是对"长安画派"影响下的西安画坛一个重要的审美拓展和补充——这里不再是重大的深刻的题材，也不是崇山茂林，而就是平常人群，平常生活场景、情节，平常的院落景致，表达的却是有情有味，拙中见出风趣。但是张立柱对于作品画面的形式安排却能于巧思变化中贯彻着一种掌控力，他善于墨韵和色彩的铺写，渗透在铺写中的仍是一种很冷静的掌控感。如果说，王炎林的绘画所表现出的思想（或埋性）特征主要见诸于作品内容上的话，那么张立柱则更多地反映在绘画形式的自觉不自觉的掌控上。有的人说张立柱受到石鲁很深的影响，但我要说，张立柱的绘画作品在形式上可能更见出完整性，在笔墨的朴拙温润上，可能更接近赵望云。当然更重要的是，张立柱人物画已然建构了一个属己的审美天地，在这个天地中，他做到了情理并兼，气定神闲，且能小中见长，意趣隽永。

江文湛是八位当中唯一的花鸟画家，从笔墨调质上看，如果说"长安画派"具有某种审美范式的话，那么江文湛可能是距之最远的一位画家，或许我们从他那欹纵的构图和大块色彩的铺写中毕竟还是可以感觉到期间的呼应关系。江文湛的花鸟画风从总体上讲是属于飘洒奔放一路，线条细劲多变而有生辣之感，著色

《槐庄人》96cm × 89cm/2006 张立柱

浓烈明快而不流于艳俗，画面的物象安排注重"块"、"面"的统筹和对比，背景处理既有传统的留白手法，更见匠心的却是实景的衬写，这一切在江文湛的花鸟作品中汇成了一种带有鲜明个性的语言和风格标识。在当今花鸟画坛，带有某种标识的画家并不少，但象江文湛这样的标识给人突出印象的画家却不太多。

据说目前中国画坛有一种回归传统之风，这种说法给人一种感觉，好像有人是在其它地方，现在却回来了。其实在我看来，传统并不是外在的幽灵，而是一种由过去至现在的绵延之流，中国画家本就处于这一绵延之流中，或者说就是传统之"流"的组成因素。当然在世界文化的思潮中，中国的艺术传统只是其中的一脉，如果说你在传统之外，那么你就只能置身于其它文化流脉之中——如今却要回来了，果然如此吗？处在中国文化和艺术传统之中，亦可持有各种态度和眼光，传统并非是绝然纯净的，所以仍然需要坚定而纯洁的批判者，当然更需要深刻而有力的阐发者——以上西安的八位画家大约是属于后者的，尽管他们对传统的态度不尽一样。我还想说，传统对于西安（长安）来讲，是具有特定的时空涵义的——从唐代绘画到"长安画派"，人们并不需要太多的想象即能感受到它的份量。这八位画家乃是西安画坛的实力派，也是传统在新的历史时空下的新的阐发者，我不知道抽掉了传统，他们还会剥下什么。反之，如果没有他们，这一特定时空中的传统就会部分地凝固，从而成为一种"回归"的对象。

《中国水墨 长安八家卷》
刘骁纯访谈录

被采访人：刘骁纯
采访人：李海滨
撰稿：徐勇
文字整理：李林 李海滨
采访地：北京通州东潞苑
采访时间：2006-9-1

李海滨（以下简称李）：您对陕西当代美术有什么评价和建议？

刘骁纯（以下简称刘）：这个问题比较大，也谈不到什么具体的建议，因为无论是哪里的画坛，它都是一个很丰富、很复杂的群体现象，很难说哪种表现形态一定对，哪种表现形态一定不对。但是从一个宏观的美术史发展趋势上看，有些艺术家是具有开启和推动作用的，在美术史上下文的整体衍进当中，有些艺术家是其中的一个重要环节。我希望无论从收藏界、从评论界、从学术界、从普通媒体，都能够更多地关注那些在某一断代美术史中确实有一定历史位置的艺术家。这样的艺术家应该让公众更了解、更熟悉、更认可，因此《中国水墨 长安八家卷》这样的推广工作是有意义的。

李：长安画派之后，西安出现了一批有思想、有水平的人物画家和山水画家，您对这些画家的作品及走向，哪些是可以肯定的，还有哪些需要调整或重新认识？

刘：长安画派之后，出现了一些影响比较大的山水画家，成为现在长安画坛的骨干。他们取得了各自不同的成就，引起了整个国内美术界的关注。他们和长安画派有着不可分割的关系，有一种上下文的关系，有一种传承关系。而在实际演化中，每一个个体的画风的变异也很大，但是如果把这种变异放在上下文的脉络之中，还是能看到其对长安画派延续和发展。

西安的山水画家，崔振宽、罗平安、张振学、陈国勇应该说是比较突出的，其画风各有特点。其中我觉得更成熟的崔、罗、陈，他们的艺术面貌更清晰些。他们经过长期的努力逐渐形成了自己的水墨语言，他们都在寻找一种自己观察生活、体悟人生和表达现象的独立方式。在开始时，崔振宽和罗平安的画风差距不大，叙述方式比较接近，都受到了长安画派的影响，现在画风拉开了，并且拉得很大。崔老师致力于钻研黄宾虹的艺术，据我所知他是陕西画坛最专注黄宾虹的人，他对黄宾虹的艺术成就体会很多。他非常推崇黄宾虹在笔墨精神表达方面的独到主张，也深入研究了黄宾虹所延续的传统笔墨的基本规范和实质内涵。可能正是因为如此，崔振宽的画风在二十一世纪以后发生了很大变化，这个变化对他而言可以说是一场"变法"。既然黄宾虹已经高度强调了笔墨自身的意义，那么对崔振宽而言，仍可以继续推进对笔墨的强调。在他的画中，对焦墨的继续强化，虽然不同于黄宾虹，却可以认为是对黄宾虹笔墨精神的坚守。相对于笔墨，崔老师画语中山水本身的意义更退居次要地位。

实际上黄宾虹晚年就是这样，山水的形象退居次要地位，笔墨本身则自我突现。崔老师就是为了进一步强调这一点。我觉得，他的作品有精彩的，也有不足的。在他的焦墨作品当中，当语言纯化了之后，焦墨本身的张力得到了强化，但由于过分强调了语言自身的言说而遮蔽了主题的言说，还有，对于焦墨，读者会越来越挑剔，例如，焦墨自身也有一个干湿浓淡的问题，干湿浓淡不一定是通过水来解决，可能用皴擦。所以，在运用焦墨中如何形成层次，在画面结构当中如何把轻重缓急在整个画面中调动起来，如何形成大聚大散的局势，这些都是崔老师将来要面临的问题。局势也是语言，它是关乎笔墨表达的重要因素。

罗平安一直在探讨水墨语言中"点"的运用。"点"的运用在传统绘画中一直很受重视。罗平安的"点"与传统意义上的"点"已经不太一样，他把"点"和"短线"、而且是比较大的"点"和"短线"搭配组合，在以黄土高原为主要描绘对象时，比较大的"点"和"短线"成了他的实验起点，很快便形成自己的面貌。这种言说方式一出现就很鲜明，马上引起大家的关注。传统笔墨讲求的干湿浓淡、皴擦点染，罗平安把这些都压缩到点和短线的内部。看起来这些点是重复的，好像是在机械重复，但具体看点的内部，也都有皴擦点染的变化，点的组合有较强的装饰性，点的内部却保留了写意性，这样的处理和过去的笔墨关系是反向的，这种反向是使他的画面语言突出来的一个重要原因。罗平安的点和短线还有一个特点，以墨构成基本骨架，然后以色压墨，用色的皴染覆盖墨的皴擦。这形成了罗平安重要的语言特色，这是一个具有独创性的技法问题。我后来看到一些艺术家只要是用短线、用色压墨，无论怎么变都像是罗平安的风格。王榆生的作品虽然不像罗平安那么具有装饰性，但一看便知是学罗平安的。还有梁建平，只要是用点和短线，以色压墨，怎么变都能看出发端于罗平安的画法。因而罗平安在水墨技法方面，虽不言专利，但自然形成他的独创风格。我和罗平安聊天中希望他来一个"变法"，解脱以下的装饰性。因为写意画最主要还是写意，在运笔的随机运动当中去抒发自己的性情。毕竟罗平安不认为自己的画是装饰画，那么早晚要面对这个问题，摆脱过重的装饰性，加强作品的表现性及写意性，这就是他现在面对的一个课题。陈国勇也是以色压墨，但他行笔大而疏朗，因此不像罗平安，他虽然也是色压墨，但更润一些，用笔更大、更疏朗。不管是长线还是大面，运用的方法都有他自己的体会，别开生面。他现的笔势比较适合表现大山大水。

张振学用笔很老辣——他确实对黄土高原有很多感受，从画中也能看得出：他对黄土高原那种浑朴苍劲的力量心有所仪。但其语言还有一个锤炼的过程。我们谈到艺术发展史的上下文关系，凡是在此关系中，一定要有自己的叙述方式、是自己提出的问题并且还要有自己的人生感受，只有这样才能在这个艺术上下文关系中形成一个独属于自己的环节。

谈到西安的人物画画家，此次所选的这三位画家，包括王炎林、郭全忠、张立柱正好是我曾经提到的、有乡土表现主义风格的几位艺术家。他们用水墨语言来从事乡土绘画，具有很强的表现性。陕西集中了一些这样的人，已经形成了一种气势，比如晁海、邢庆仁也是这一类的画家。你们选择的这几位人物画家，也是比较突出的。这是很有意思的一种现象，这几位都已形成不同的面貌，可以说言路全都不一样。

如王炎林最有意思的是他的幽默感，这种表现性和幽默感在创作中自然混合在一起了。表现性艺术家心里都有一些痛感、苦感。为什么叫表现性而不叫写意性？实际上表现性和写意性虽然是两个概念，但内涵是一样的：它们都要通过运笔来表达性情、表达情趣。但当情绪偏于从容平静时，我们一般爱用"写意"这个概念，如果情绪的张力过强、痛感过强，用"表现"的概念就更恰宜。"表现"这个概念本身是西方传过来的，西方的这类绘画都是很"狂"的，甚至是狂燥、残酷、暴掼，这样其画面语言才是足以表达其内心的一种极度的情感张力，这样我们就不妨称其为

表现性。这几位陕西人物画家之所以称其为表现性，是因为他们心里面都有不平的东西，只是不平的方面不一样。

像王炎林，主要是关注人和环境的关系，特别是更关注动物，看来他非常同情自然界生物的遭遇。人在膨胀自己的欲望的时候，就破坏了自然生物链的生态，这点就是其画面背后所表现的不平之处。但他和别人不太一样的是他有一种幽默，表现为愤怒当中有一种快乐、快乐当中有一种不满，这种东西是混在一块的，用一种幽默方式表达出来。

郭全忠比较强调用线，在这几人中，郭全忠对线是最重视的。郭全忠应该说是"文革"期间成名的艺术家，但如何延续"文革"成名时的自己的传统继续变法，这是个非常难的问题。我多次谈到这个观点，就是在"文革"时成名的艺术家当中，绝大部分画家到现在还找不着位置。郭全忠的进步或蜕变确实是非常痛苦的一个过程，他一直在寻找，他在创作中对现实主义、表现主义的结合，早有其倾向，但这种表现性落实到造型上就很难，无论是表现性的、或是写意性的，都要面临造型问题。个人必须有自己的造型方式，否则用笔方式没有依托、人物画风也没有依托。我觉得郭全忠这些年，尤其是在二十与二十一世纪之交取得了一个突破，慢慢摸索出一套比较适合于他的表现性、也适合于笔墨的意象造型。意象造型难在自然，郭全忠苦就苦在这里。他终于找到了一种自然生成的东西，其本身是合理的，虽不符合写实规范，但有其合理性。这种合理性，用语言很难表达，但看过作品后会有非常明确的感觉。意象造型与变形不同，变形是扭曲写实造型，这种扭曲使人感觉作者故意在做什么，很难使接受者认同，也很难感动人。为什么很难感人，就是因为矫揉造作。变形装腔作势，意象虽由人造却宛若天成。其实我们欣赏郭全忠的绘画作品时，如把成功与失败的作品全部看过，会发现其中也有变形的影子。郭全忠这几年最大的成果是解决了人物造型方面的问题。其人物造型比较质朴，但这种质朴绝对不是那种民间艺术、儿童艺术、汉代雕塑的质朴，而是一种被知识分子观照的质朴，是一种被提炼过滤的质朴，不是质朴本身，而是他抓住的质朴。

张立柱和郭全忠不太一样。郭全忠主要是解决造型问题，其他人在造型上都没像郭全忠下这么大的功夫，就像很多人没有像崔振宽在黄宾虹上下那么大功夫一样。张立柱的画，其人物基本上是写实的，他用速写的方法、简笔的方法，但造型本身没有离开写生造型。写生造型其实范围很宽，在张立柱的作品中速写的感觉更多些，他把写生造型的人物和写意的整体情境融在一起。其解决方法基本有两种，最主要的是人物占画面的比例不是很大，主体是悲怆动荡的抽象笔墨氛围，以农村乡间风情为题材的人物画在这种笔墨氛围中起了一种点睛的作用，写实风格更便于勾起观者的一种乡里乡音的感受，产生较为直观而具体的农家生活的

联想冲动，而这种生活情趣本身和笔墨氛围又发生一种冲突，这不完全是一种协调，更多的是冲突，这种乡里乡音的情境是一种田园式的，但整体画面又破坏着这种田园式感觉。整体上没有了田园式的优美，但他在局部中又有田园式的表达，他把这种对乡间的怀念，潜在动荡不宁的笔墨当中，便形成一种很矛盾的画面张力，这种张力我觉得非常能代表他的创作心情，就是他所说的"挤进城里，而又进不了城"的感觉。"进不了城"是为什么呢？因为对原始人文生态很强的怀念，其局部的乡间生活情节就他的这种怀念的体现，但这种怀念不断地被周围的笔墨压制着、撕裂着，因为这种怀念是必然要失去的，这是他心情不安宁的一个因素，这就形成他艺术的基本面貌，形成他的特点，形成他的言说方式。

李：二十年来，全国花鸟画创作比较活跃，美协及民间展览有多次，问题是问世的作品多，有情感、有思想、有笔墨功夫的少，有的画家提倡画"大花鸟"、"大写意"，您对陕西的花鸟画家有什么建议？

刘：陕西的江文湛、王金岭是比较突出的花鸟画家，二人各有特色，一个清淡见长，一个更多华彩乐章。现在从花鸟画的上下文关系上看，是在徐渭之后发生了一种变化，花鸟画向着大写意方向发生转折性变化。整个中国的大写意艺术发展，是从花鸟开始的，自徐渭开风气后，到清代出现一批花鸟大家，如赵之谦，海上画派，到齐白石。总体趋势是向着更豪放的写意性发展，这是不可避免的一个动向。艺术只要进入写意这个历史程序，笔墨自己的表现性就逐渐强化，尤其是对行内的人。为什么写意艺术行内的人常说"不可以与俗人道"，"不可以与外行道"，是因为好多事情是行内的事。笔墨自身的表现性是行内的人体会越来越深，而外行总是说你画得不像，如同欣赏书法作品一样，外行总看字写得是否规矩，而内行就看书法的笔意、笔势、情怀。在整个中国写意画中花鸟画是领先，从兼工带写，到写意，到大写意这是一个逐渐强化笔墨的过程。从上下文的关系看，自齐白石、吴昌硕他们之后，到了我们这个时代一个最重要的问题是怎么能够更随意地用笔墨去表达心性。

所谓"大写意"就是笔墨更自由、更抒泻、更放达，当然对笔墨的结构也要求得更高。笔墨结构和章法结构自身的表达力在强化之后便会通过画面语言彰显出作者的人格。到此时，人格的魅力更重要，我觉得江文湛和王金岭，都在这个脉落中，他们在陕西花鸟画界是两位突出的花鸟画家。

我觉得他们的艺术都在发展当中，江文湛的作品风格，既有表现性又比较好看，但还没完全把语言和性灵融合得非常一致。看他的用线还有些外在，包括他的飞白、转折、用笔的提按，也包括它的造型，还有一个更加浑然天成的过程。

李：您刚才在花鸟画中提到"大写意"的问题时更多的还是提到

笔墨的问题，从人物画这方面，您提的比较多的是表现和写意的问题，人物的表现和写意之间，这三位我们提到的人物画家都有自己的风格和面貌，但总的来讲人物画笔墨更应该要下功夫，还是从每个人各自不同的个性上去探索呢？

刘：笔墨自身的表现力，会越来越被艺术家所认知和重视，这是一个问题；但是从哪个方式更便于发挥它，这是另外一个问题。就人物画本身，它在这个问题上必然是滞后的，因为人物画本来就肇端于对社会问题的强烈关注，这些关注对象一般都和人物形象有关、和社会的现实问题有关，它的画面结构本身就有一定的人物组合的叙事性，笔墨是这个问题的一个环节，笔墨不论如何独立，它都只是其中一个环节。笔墨自主化总要找突破口，从中国画史来看，首先从花鸟找到了突破口，如徐渭，花鸟之后便是山水，如黄宾虹。拿黄宾虹山水画与清代的山水画相比较，就可发现变化很大。人物画加强了写意性和随机性的因素，从写实当中脱离出很多，但人物画永远要有更多的综合考虑。

李：您刚提到的崔老师的焦墨，从干湿浓淡到聚散疏密，这个应该还是说技术性的问题？

刘：这已不是技术性的问题。为什么我们古代画论老讲"气"和"韵"，这两个概念基本上是一块，很少单独使用。气是筋骨，韵是血肉，气和韵的双重凸显，才能彰显画面的整体性。就崔老师的绘画艺术而言，他的焦墨非常强调骨力，这里能看出笔墨功力的深度，所谓力透纸背在他的画中确实达到了一种新的可能。反过来还要和韵结合起来，才是一个完整的画面、完整的性灵。完整的性灵如练太极，表里张力收放自如，这样才完整。当前他有意识强调筋骨，当他回到内在的完整人格时，可能会有另一番景象。

李：我记得在一次山水画展研讨会上，您提到性情化的问题、装饰性的问题，也包括谈到更多笔墨本身的问题，或者说焦墨本身的聚散、疏密这种关系，您觉得性情化还是很关键的，如果说性情化，谈到罗老师，可能是与性情画相对的？是两个框架？

刘：可以这样说：罗平安在他初创自己的格体的时候，他和笔墨性情化是拗着的，但是他的艺术本身要发展，到现在，他这个壳还未破，他面临最大的问题是要破自己的壳，从装饰向性灵自由表达转化，让点和短线内部的写意性转向画面整体的写意性，而且完全有可能。我刚才所说的罗平安笔墨的专利性，主要是指有的人想把罗平安装饰性笔墨打破，变成一种随意的笔墨，但如何打破都像是学习罗平安，这就给罗平安留了一个余地——一旦他变法，他会很自然地向那个方向走，从而形成他自己新的东西。艺术毕竟一人执掌一人之事，这只是我作为旁观者的一己之见。

李：刘老师一直关心陕西这个美术重镇的发展，'97水墨北京展时曾提出"乡土表现绘画"的观点，并在全国产生重大影响，其后在多种场合对陕西画家群体给予了评价和指导：如在西安的抽象水墨邀请展上（回首长安十人展）说"要守住陕西的阵地"；在西安美院讲话中指出"长安画派是前进了，而不是退步了"等等。

'97北京水墨展至今，您对陕西水墨的发展情况有何见教？（请您看过这些画家的资料后，给予评说）

刘：我在谈"乡土表现绘画"时，谈的是人物画，因为它是从人物画提出来的问题。乡土表现主义水墨艺术家不限于陕西，但陕西的实力更雄厚些，这些艺术各不相同，但又有共性，可以视为一个画派。它和老"长安画派"有关系，这主要表现在和石鲁先生的某种关联。石鲁是一个才华横溢的艺术家，同时又是一个情感暴发型的艺术家。他开始接受毛泽东的文艺路线，就是要走现实主义的路子，但是在此过程中，在他脑中老是迸发出一些叛逆性的东西。这种叛逆性的东西表现在各个方面，其中一个方面表现在他力图从现实主义和表现主义之间寻找一种东西。石鲁先生曾画过一幅作品，名为《东渡》，这幅画后来失踪了，很多人没看到，但是在西安展出过。当时看过这幅作品的人，到现在都能说出他们的感受和他们的印象，就是那张画和《转战陕北》有着迥异的表现性。他在画船工的时候强调了笔的泼辣、苦涩，他直接用表现性运笔，以朱砂使转表现肌肉，而且表现的是烈日下的黝黑的肌肉，看过这幅作品的人都说作品令人震撼，石鲁在现实主义框架中的表现性画风，对长安的艺术家有着持久而深远影响。李世南深受石鲁的影响，特别是他到湖北以后，画了带有原始巫术色彩《贵州印象——岜沙系列》，表现倾向越来越强。他自己并不是巫术的信徒，他是借这种题材表现他对人类原生形态的人文情怀和独特关照。他画的纪念石鲁的系列作品，具有很强的悲剧性和表现性。他在画连环画时期是很写实的，后来倾向表现性，现在他越画越静，转入了传统的禅境。郭全忠成名之作是现实主义的作品，如《万语千言》，后来表现性逐渐强化，这种强化本身一开始是对陕北现实苦难的同情。他画《万语千言》是因为周恩来说过一句话，"毛泽东在这里十三年农民丰衣足食，怎么解放这么多年了农民还么苦？"周恩来这句话实际上是调动了艺术家面对现实苦难的勇气。

这个画家群为什么老是离不开乡土呢？因为乡土和人类的原生状态有着不可分割的关系，对表现主义画家而言，其中具备一种相当丰富的内涵。他们怀乡，实际上是对人类生存状态的忧虑，也就是现代西方哲学家最爱谈论的人的"家园"问题。这几位艺术家之所以引起人们关注是因为他们的复杂性和丰富性，他们有很多个人化的生活感受、人生感受。现实问题和历史文脉一直是他们背负的课题，问题是他们在背负的同时能引发出艺术创作的冲动来化解这些问题。他们是艺术家而不是哲学家。

李：地域化和地域自然特征，对中国画的发展是一种资源吗？还是阻碍？如何正确看待石鲁先生"一手伸向传统，一手伸向生活"的艺术主张？

刘：应该说，地球在缩小，地域资源如何来用？谁来用？问题不像原来那样简单了。比如说毕加索，他把非洲的资源用到他的艺术创作中。又如服装设计，我们把中国传统艺术元素用到现代服装中去，同时外国人也在用东方的资源，在服装设计中做他们的东方之梦。中外资源在相互利用、互为补充。这种跨文化取用资源，成为一种很自发的现象。所以说，地方资源并是一种只有当地艺术家才可以取用的资源，而是人类共享的资源。如果艺术家对当地的资源不善于利用，就会被别人利用。第二，地方资源确实是一种资源，尤其作为地方的风土人情，对山水画而言尤其是很重要的资源。资源关键是看怎么用，地方画派不见得都是利用地方资源形成的，如扬州画派是清代个性化思潮中涌现的艺术现象，这个艺术现象可能发生在扬州，也可能发生在别处，而恰好在扬州有几位艺术家在这方面特别敏感，激励了周围的艺术家，从而形成了中国艺术界特定的一个画派。是因为扬州的风土吗？不是！再比如海上画派，好几位大家都是花鸟画家，其所画的花或鸟不一定都是上海的花鸟，重要的还是这些艺术家在艺术思路上互相撞击、互相激励，通过同处某一地域的人文环境和艺术思潮形成画风上的共性。说本地的资源创造了本地的画派，这种说法太简单了。画派的形成，首先是一批艺术家要有共同的艺术思考，有了思想的贯通认同之后，自然会形成一种派了。

针对"长安画派"而言，石鲁是四川人，赵望云是河北人，他们并不是土生土长的陕西人，可能是因为外地人对这里的风土特色，反而比陕西人更敏感，所以他们画面中的"黄土气息"更厚重，这种"黄土气息"就是地域资源的濡染所致。地方资源、艺术创新、地方画派，它们的关系是一个很复杂的问题，不能说，我们有什么资源将来就能创造一个对应的派别。

石鲁先生"一手伸向传统，一手伸向生活"的提法具有最强烈的批判性和号召力，这个口号是在毛泽东时代提出的，那个时代主要讲的是深入生活、表现生活，特别是在文革期间它强化了。一个大艺术家肯定要关心如下问题：传统如何继承？如何发展？继承什么？发展什么？上述问题是国画创作者必须应该注意的问题。石鲁的提法在当时是很有影响力的主张。这个提法是没有错误的提法，但是如果这个提法离开时代环境就是一句废话，当时没有可能关注现代艺术，但我们现在必须关注现代艺术。否则现在的艺术家如何进入历史的上下文关系？

李：我记得几年以前您在给张炬写的文章中提到了"后长安画派"或还是"长安画派之后"的说法，请您再扼要叙述一下您的观点。

刘：这两个提法的思路应当是一样的，实际上在考虑一个怎么表述更恰当的问题。"长安画派之后"主要指石鲁、赵望云、何海霞、方济众等之后出现的、跟他们有文脉联系的艺术群体。

"后长安画派"就是把这一群体作为一个成形的画派来叙述，这肯定还有很多困难，因为毕竟从一个源头分出来的东西，分叉可能很大，如果把它们拢到一派，就会有叙述上的困难。这样"长安画派之后"的说话就具有更容易理解的指向性。

李： 中国水墨的前卫艺术近年来比较低落，不知道刘先生有什么看法？

刘： 前卫艺术在中国是一个相对的艺术概念。我在几篇文章谈过"前卫艺术"，这个概念现在在西方也不好用了，因为"前卫艺术"在刚开始用时有它的特殊所指，主要指观念变革前沿的艺术现象，但在二十到二十一世纪之交，观念变革本身所需要涉及大问题该出现的都出现了，这时候再谈"前卫"就没有什么意义了。当前一个艺术家若想提出一个完全崭新的观念无异"痴人说梦"。于是，西方艺术界便换了一些概念，如"后现代""当代"等。中国是从"新潮美术"开始用这个词，"前卫"有打破旧有秩序的意义，现在就比较难用了，但我们还在相对地使用，指称那些在主流秩序边缘的艺术现象，也有理论家称为"边缘艺术"。对于前卫艺术低落的说法，我想说边缘艺术现象一定会有的，永远会有，无论主流思潮如何强大，始终会存在。但边缘现象在当时的主流媒体、权威话语当中，不会被重视，往往到下一个时段的语言环境才会把以前忽略的文本重新提出。我们现在说前卫艺术的低落是我们现在没有去特别关注，因而感觉走向低落。边缘艺术注定处于边缘，无所谓衰落，在另外一个历史时期它反而可能会进入主流艺术，此时它便不会再被叫做"边缘"，但会出现新的边缘。边缘性的东西不断对权威话语提出怀疑，这种怀疑可以是很有价值的，也可是没有价值的甚至是反价值的，有无价值关键是看其针对主流文化体提出问题的同时其自身有无建设性，虽然它可能是以破坏的方式提出来的。

就长安这些艺术家而言，他们在新潮美术中并不是很活跃的人物，但他们都接受了新潮美术的影响，这种影响多数是一种气息上的，这使他们不断调整自己的创作方位，所以他们既没有当时新潮美术浮躁浅薄的心态，也没有新潮美术当时特别抢眼的、特别弄潮的一些东西。陕西画家相对来说也属于创新的，但更深沉一些，更含蓄一些。

李： 学院派的中国画在当下风头很大，这是正常的吗？十届美展的"军大衣"获金奖您有什么看法？

刘： 我觉得这是正常的。从历史上看，艺术发展每个关键时期所提出的问题，总是以反学院派开始引发变革，但是很多艺术新现象过了一段时间就纳入学院体系了。学院应该说是一个艺术教育的象征，这种艺术秩序本身既有严格规范的一面，又有僵化保守的一面，这是其两面性。它存在的必要性是其严格规范的一面。反学院的力量，有的有价值，有的无价值，有无价值就看其

对学院的规范的一面是如何把握的。如果它自己没有形成相应的规范，它就没有力量去对抗学院；如果可能对抗学院，必须要有自己的一套规范。这套规范在另外一个时候往往也会纳入学院之中。从西方世界来说，"学院派"是活的东西、是不断吸纳新东西的，其本身不是一个纯粹的贬意词，"学院派"有其两面性，它和边缘的东西成为不可分、但又互补的关系。没有边缘艺术，学院便会成为死水一潭，但没有学院的规范，就没有人去考验边缘艺术。

实际上中国也经历着这样一个过程，只不过现代学院的自身规范还没达到很高的程度，其力度还不够。我们讲学院艺术泛滥，主要不是指学院本身，我们现在理解的"学院派"指的一种缺乏创造力、却被体制化了的一种东西，这种东西不能用"学院"这个词，学院应是一个活的东西、一个规范性的东西，它是个高层次的东西，当一些层次不太高的东西被体制的力量把它强行或过分抬高了，便引起了一些批评，才用"学院"这个词。但实际上指的不是体制内的那个"学院"。

对于十届美展"军大衣"获金奖的问题，我是这样看的，全国美展从七届之后它的美术史地位正在下降。在七届美展之前，几乎重要的艺术现象都是通过全国美展生发出来的。除了新潮美术在当时不能通过全国美展来反应，当时大部分新艺术现象都是通过全国美展体现出来的。如罗立中的《父亲》、韦尔申的油画。

七届美展之后，很多有想法、有思想的艺术家都不太关注全国美展，原因主要是它提不出问题了。如《军大衣》就很典型，如果在七届美展或此前这样的画得金奖是很正常的，但在现在它没有提出什么新问题，只不过采用了一种异样的写实手法，这种手法对于今天来说已经不是问题了。但在七届美展之前是个问题。

李： 当前，有卖相、有官职的所谓"名人"，以及官办美展的操作，对一些真正研究学问的画家冲击颇大，陕西应该怎么坚守自己的阵地？

刘： 包括你们此次做的长安八家在内的陕西艺术家群体，基本上心理都是比较成熟的，所谓心理成熟是指在各种各样的与他探索无关的这些利益面前不为所动。陕西确实有这样的艺术家，一直到现在经济上也没有特别好转，包括本次推荐的这八位艺术家也不见得是西安最富有的艺术家。其实也没必要去指责市场怎么样，因为它有自己的发展规律，市场本身最后一定是会跟踪学术的，不是跟踪哪个批评家、那个历史学家，而是跟踪自然的淘汰，这种淘汰本身就是大浪淘沙。淘汰下来的就是在历史上真正做出贡献的人。只有在历史的上下文中起到很重要作用的画家，才是市场价值的最终决定者。但这在西方市场的距离是三到五年，而中国这个时差可能是十到二十年，甚至三十年或更长，所以一个成熟的艺术家可以不在意这些而专心创作就是了。中国的艺术史上知识分子历来有这个传统，即所谓的"达则兼济天下，穷则独善其身"，艺术家里很多人一直坚持自己的追求，市场即便再具

有诱惑力，总有艺术家不受此诱惑。

李：现在有些人认为当代绘画应强调"个人面貌"和"个人风格"，认为画派会冲淡个人风格，您对此有什么看法？

刘：画派本身就应当是由不同风格的画家组成的群体，所谓画派不是只有共性，首先要有个性。所有的画派都是由很多不同的人组成的，如我们说长安画派，其中的代表人物石鲁、赵望云之间的画风差别就很大。所以，画派并不影响个人风格的形成。

李：记得您近年来曾谈过"笔墨新型态"（或者是笔墨的创新），有人认为笔墨无所谓创新，创新主要是"艺术观念"和"艺术形式"的创新，好像郎绍君先生亦不赞同"新笔墨"的提法，您对此有什么看法？

刘：我和郎绍君讨论过笔墨问题，需要说明的是，并不是我主张"新笔墨"、他反对"新笔墨"。我主要是从学术角度提出一个概念——"非文人笔墨"，郎绍君不赞成这个概念，他说笔墨就一种。"非文人笔墨"主要指不是传统书法用笔的笔墨，它很难用书法用笔来规范。传统笔墨的核心是书法用笔，书法用笔的核心是中锋用笔。崔振宽就很典型，他离开了书法用笔就没有他了，他坚持书法用笔、发展书法用笔、强化书法用笔。现在艺术风格和形态越来越多，有些人已不用书法用笔这套规范，但是不能说他的笔墨就没有规矩了，所以即使"非文人笔墨"不标榜书法用笔，但也要有自己的规矩，例如，对于田黎明的绘画风格，郎绍君强调他是从传统没骨法来的，我则认为他与传统没骨的关系不大，传统没骨强调中锋用笔，而田黎明则放弃了中锋用笔，他更多来自西画，来自水彩，他与传统笔墨的关系主要在文化精神。这既不能说是书法用笔，也不能说他不是笔墨，因为传统笔墨的神髓在他的画中有深刻的体现。

我最近和郎绍君的一次对话，是在他策划的"笔墨经验展"上，我认为参展的艺术家中一半可归到"传统的文人用笔"中，有一半归不进去，因为后者已经很大程度上离开了传统的中锋用笔，我的主张正好可以为画展的艺术取向服务。在这次对话中，我和郎绍君的分歧缩小了许多。

笔墨可以五花八门，重要的是建立起自己的一套规范。任何语言不是和别人不一样就好，不一样只是说明你起步了，起步之后应该还有很多路要走，后面的路还长着呢！这样才提出了"新笔墨"的建设的问题。

李（代王炎林）：这次集结出版此书，是近多年来陕西难得的一次以综合水平选拔画家画集（尽管仍有因各种原因难以完全包括陕西探索画家的全部），它包括了表现性画家和传统型画家两部分。非常希望能在出书后，在北京办展，以展示陕西当代真实的水墨状态，是否可行？您还有何指教？

刘：这本长安八家卷，其重要意义是面向公众推荐长安画坛重要艺术现象，画集的出版，可以带动业内和公众的学术交流，让社会了解哪些现象在长安画坛是非常重要、特别需要关注的。希望办展览，也是这样一个动机，就实力而言，完全可以做展览，而且可以做好，主要是看时机和条件。

李（代王炎林）：当前纯探索型的画家因商人不买、官方排斥而处境艰难。一些既有卖相又有通俗性一面的画家则左右逢源，也有一些批评家好心地指出我"走远了"，这使人很困惑。这种作品是否还有前途？

刘：现实永远是这样，永远是重要的艺术现象在一个时期不被认可和理解，不被广泛认知，这是规律，我们不得不面对。要求一个艺术现象刚出来就能被社会广泛认可是不现实的，因为还牵涉到艺术批评、学术推介、宣传、介绍等等环节的综合参与，是一个"合力"下的系统工程。这不仅是普及过程，还是一个认识过程，这是一个很正常的现象。

艺术家需要一个基本生存条件和再生产条件。如果基金会制度健全，艺术探索可申请基金，基金会有专家进行评估，这种评估就是要保护和鼓励一些探索性的东西。现在中国基金会制度远远没有形成，这样艺术家同时要解决自己的生存和创作的资金问题，有些探索和流行趣味差距特别大，这个问题就更突出些，表现性的艺术就属此类。有的批评家希望艺术家兼顾市场，也是出于这种考虑，否则探索也会被迫中断。关键是否要有"度"。这是一个两难问题。

李（代王炎林）：在表现性风格中，王炎林从叠叠压压的毛、黑、乱、稚的画风中走进现在的相对轻佻、调侃的风格（其实是曾想自毁的精神压抑症的一种自救），是否正确？

刘：这个问题没有正确与否，其实，王炎林开始那种太激烈的表现性让人感觉太西方化，与幽默、调侃结合，反倒更有个性。表现性一定要和人格相融合，你的为人处世个性鲜明，大爱大憎又多调侃，你的作品也可以在这方面更鲜明些、更个性些。

李（代王炎林）：正确的美术批评是非常重要的，作为最了解陕西当代美术状况的批评家，特别是身处非学术因素（如画型、师承、官位及浮躁的炒作）干扰整个艺术价值取向的时候，您应该尽可能多关注一下陕西真正的画家群体，这也是我们所期盼并特别表示感谢的。

刘：谢谢，这是应该的。

《崔振宽艺术简介》

崔振宽，陕西长安人，1935 生于西安，毕业于西安美术学院。

● 职务：

- ■中国美术家协会会员
- ■西安美院客座教授
- ■陕西国画院画家
- ■国家一级美术师

● 收藏：

- ■人民大会堂　■中国美术馆　■上海美术馆
- ■广东美术馆　■成都现代艺术馆等专业单位收藏

● 画展：

- ■第六、八、九、届全国美展　■第一届、第二届"当代中国山水画·油画风景展"
- ■2000 年参加文化部与中国美协举办的"百年中国画大展"　■第一届、第二届"全国画院双年展"
- ■2005 年"成都双年展"　■2006 年参加中国画研究院举办的"笔墨经验"邀请展
- ■全国政协举办的"陕西当代优秀作品十人展"　■多次参加全国专业美术邀请展　■多次举办个人画展
- ■2002 年先后在中国美术馆、上海美术馆、广东美术馆、成都现代艺术馆及江苏省美术馆举办"气象苍茫·崔振宽山水艺术巡回展"　■在陕西美术博物馆举办大型"从艺五十年——崔振宽山水艺术回顾展"。

● 出版有《崔振宽画集》数种

- ■2005 年由《红旗》出版社、《求是》杂志出版大型《崔振宽山水艺术挂历》。

●中国著名美术批评家眼中的崔振宽

■郎绍君：（中国艺术研究院研究员、美术理论家）

崔振宽的山水画，近10年来，他以焦墨和焦墨着色为主，作品日趋苍浑，强悍和老辣。在笔墨上，他对黄宾虹多有取鉴，但他清楚干裂秋风的西北景观与浑厚华滋的黄氏山水是不同的，于是他取黄氏之苍而去其润，变其小笔勾画为大笔点簇并增加干擦，将黄氏墨、赭、石绿的色彩搭配转为墨与赭红色调的搭配。为了逼真描绘黄土高原的粗糙质感，他有时还在积墨中加入积色，甚至适当参用做肌理的方法，一步步走向"法无定法"，笔墨也愈凝重而随意。总的说，在笔墨形态与风格的极至化方面，崔振宽已大有成效。

■刘骁纯：（中国艺术研究院研究员、美术理论家）

我最强烈的感受也是几年以前在文章里谈他的画时说："黄宾虹课题"。就是黄宾虹提出的问题他在继续探索，现在看他03、04、05年的新作之后，我感觉到这个提法可以变一下，就叫做"黄宾虹、崔振宽画脉"。就是一个画的脉络。因为延续黄宾虹的人很多，但是走出来形成个人面貌比较成型的，那么我觉得比较突出的就是崔振宽。他之所以成为画脉主要还不是因为他延续了黄宾虹，而是因为他延续了黄宾虹的问题，他是用自己的办法解决的，用自己的面貌去解决的。创造自己的笔墨，自己的风格，自己的形式。那么有了这个自己的创造性，他的问题是延续了黄宾虹，那才能形成黄宾虹画脉。看了他的新作以后，增强了我的信心。

■皮道坚：（华南师范大学教授、美术理论家）

崔先生的作品给人的印象是厚重、苍茫，这是一种时代的审美追求。崔先生很好的继承了对中国山水画的精神内核的深入领悟。这种深刻的人生感受的表达，不是一种单纯的笔墨玩味和空洞的笔墨形式。他是全方位的继承传统，这种传统不仅仅是包括我们民族的传统，还有包括外来文化的东西。所以他的作品既有传统又能够体现现代人的那种审美心理需求。

■殷双喜：（中央美术学院《美术研究》编审）

崔先生五十年的路程，使我们看到中国画在当代不仅有着前景，而且有着旺盛的生命力。我们特别需要崔先生这样的领军人物，需要这样不倦的艺术探索精神。

■范迪安：（中国美术馆馆长）

崔先生的艺术从自然世界走向精神世界，在个人的情感空间里和艺术语言里反映了时代的精神气象，这对整个中国山水画的现代发展有着极其重要的启发意义。我觉得更应该把他的艺术放在整个山水画当代形态的确立这么一个层面来看待。崔先生的艺术还非常值得从当代视觉艺术这个整体来评价，近期的作品更加体现了视觉图式建构的自觉和自然，艺术含量已超过了山水的丘壑、山水的笔墨，赢得了当代视觉艺术的力量。

■王林：（四川美术学院教授、美术理论家）

我非常激动，崔先生表现了一种大师的气象。他的画里面表达了一种我们生活在今天这种文化背景下的文化人对自然山水非常独特的感受，他画里面那种悲怆，那种自由，就是一种深刻的悲剧的感觉，是当代人心灵中的一种象征。

■李小山：（南京艺术学院当代美术研究所所长、南京四方当代美术馆馆长、美术理论家）

振宽先生的特点是，他有底子，有明确的目的性和把握目的的能力，他在营造画面气氛时已非刻意，随意的挥洒和率性的表达成了他的绝招，他的某些作品（像石鲁一样，是某些作品而不是全部）相当精到，无论在用笔用墨方面，还是整个画作体现的视觉感，都让人充分的信任。振宽先生在许多年的勤奋探索中把握住了画法上的独特性，在西北画坛乃至整个当代中国画坛建树了自己的形象，可以说也是很有意义的贡献。

●艺术追踪

《版纳印象之一》
150cm × 98cm
2006 年
崔振宽

《版纳印象之三》
150cm × 98cm
2006 年
崔振宽

《版纳印象之四》
150cm × 98cm
2006 年
崔振宽

《版纳印象之五》
150cm × 98cm
2006 年
崔振宽

《暮色苍茫》
178cm × 98cm
2006年
崔振宽

《山居消夏》178×98cm/2005 崔振宽

《秋林》178×98cm/2005 崔振宽

《暮》
69cm × 49cm
1996 年
崔振宽

《峨眉道中》

140cm × 98cm

2005 年

崔振宽

凌云俯瞰图凌云俯瞰图蜀中乐山地震青衣江金沙江大渡河三水交汇之处气象蔚为壮观此观凌云冀山一角乙酉之夏振宽

《凌云俯瞰图》
140cm × 98cm
2005 年
崔振宽

《农家乐之六》
150cm × 98cm
2005 年
崔振宽

《农家乐之七》
150cm × 98cm
2005 年
崔振宽

《农家乐之八》
150cm × 98cm
2005 年
崔振宽

《延安之四》
210cm × 125cm
2001 年
崔振宽

《王炎林艺术简介》

王炎林，汉族，男，1940 年生。原籍河南郑州，1961 年毕业于西安美术学院。

● **职务：**

■中国美协会员　　　　　　　■国家一级美术师

■陕西省美协艺委会委员　　　■陕西省文史馆馆员

■西安市中国画院艺术顾问　　■陕西国画院画家

■历届全国美展陕西评委　　　■西安美术学院客座教授

■首届中国《收藏界》"十位当代画家排行榜"上榜画家

● **收藏：**

■中国美术馆　■北京国际艺苑美术馆　■日本村上美术馆　■韩国美术馆

■《江苏画刊》　■《美术文献》　■多家大专院校图书馆

● **为之撰文的中国著名美术批评家有：**

刘骁纯、殷双喜、范迪安、易英、陈传席、陈孝信、作家贾平凹等

● **电视推介：**

■中央电视台二套播出王炎林水墨专题片《绘画信天游》

■中央电视台《美术星空》播出《回首长安》以表现主义代表画家定位

■法国第 5 电视台播出巴黎展专题报道等

● **出版个人画集六种**

●中国著名美术批评家、作家眼中的王炎林

■刘骁纯：（中国艺术研究院研究员）

陕西的乡土表现性绘画与石鲁也与文人画传统拉开了更大的距离，而肇其使者，则是王炎林。

■殷双喜：（中央美院《美术研究》编审）

艺术就是进入未知的世界的冒险，王炎林是一位敢冒险的探索者。今天，我们在当代中国画之林中看到王炎林的作品，有着扑面而来的民间生活气息与如此强悍的生命力。

王炎林应该属于那种底气雄厚的"大器晚成"者。

■易英：（中央美院《世界美术》编审）

王炎林的水墨不仅继承了徐渭、八大以来中国传统文人画悲天悯人的精神，而且还推进了长安画派豪放苦涩的画风，更重要的是，他以当代文化主题入画，从而也使水墨语言变革在干预现实的同时也站到了当代文化的前沿。

■范迪安：（中国美术馆馆长）

相比陕西其他画家风格相对稳定的情况，王炎林在艺术上则是不断更新演变，他的画风在今后仍有不断变化甚至突变的迹象。

■陈传席：（中国著名美术批评家）

在江南看惯了细秀的画风，一见炎林的画，大为震动，这正是我要找的"热如火"的典型。也许他就是艺术天才。不然他怎能画出那样奇怪的画，那样绝妙的画，那样"热如火"的画，那样有巨大震撼力的画。

■陈孝信：（中国著名美术批评家）

王炎林就是王炎林，他比许多同时代画家都要深刻、丰富、复杂，不容易被随意归类。这也是他的魅力和价值所在。

■郭晓川：（中国著名美术批评家·博士）

在近年来中国写意的领域，王炎林作品的风格尤为独特。

■贾平凹：（中国著名作家）

王炎林家的猫也知道毕加索

他的画给人以刺激，不能平静，想喊，想在雨里痛痛快快淋一场，想在河滩里拼命跑，甚至想放倒女人和杀人……

●艺术追踪

1971年，延革命纪念馆创作组／与葵亮（后排左一）、王子武（非右一）、李世南（后排右二）等。

◆与刘骁纯合影

◆南京展／与美术批评家陈孝信，朋友贾平凹相聚

◆山东展／为大学生签名

◆2005年，奥地利抽象油画展／奥地利国家电视台采访

◆南京·江苏画刊邀请展／批评家王林在我的作品前

◆《画刊》提名展／与刘勃舒，周京新交谈

◆深圳展／在老友李世南家里

《还是那条鱼？！》120cm × 96cm/1999年 王炎林

《包谷地》148cm × 122cm/1996 年 王炎林

《大旋风》 96cm × 90cm／1999年 王炎林

《红云中睡去的孩子》 96cm × 90cm／1999年 王炎林

《倒置／新感觉》 96cm × 90cm／1999年 王炎林

《黑城墙》 68cm × 68cm／1993年 王炎林

《红人系列／同在》
68cm × 68cm
1999 年
王炎林

《红人系列／暮》
68cm × 68cm
1999 年
王炎林

《红人系列／时装店》
68cm × 68cm
1999 年
王炎林

《静观》
68cm × 68cm
1999 年
王炎林

《季节》（局部）136cm × 68cm 王炎林

《暮／一丝细细的声音》

136cm × 68cm

2005 年

王炎林

《塬上春暖》
136cm × 68cm
2005 年
王炎林

加了糖多许再挤檬柠汁。炎林。

《加了糖的柠檬汁》
136cm × 68cm
2005 年
王炎林

《海啸有什么不好？1》
136cm × 68cm
2005 年
王炎林

《产房写真》
136cm × 68cm
2005 年
王炎林

《小男人／饰物》
68cm × 68cm
2005 年
王炎林

《大辫子》
68cm × 68cm
2001 年
王炎林

《香槟》
68cm × 68cm
2001 年
王炎林

《若花》 90cm × 66cm/2005 年 王炎林

《江文湛艺术简介》

　　江文湛，1940年生，山东郯城人，毕业于西安美术学院国画系研究生班。曾留校执教于该院国画系，后调入西安中国画院任副院长。作品历次参加国家级重要学术机构主办的各类大展若干。论著有《浅谈笔墨抽象美》等多部文章。出版过八本个人画集，入选、入编各类大典和散见于各类美术刊物有百余幅之多。

　　1996年由中国美协、中国美术馆联合主办《江文湛画展》在北京中国美术馆展出，并在全国巡展。参加全国政协举办的"陕西当代优秀作品十人展，用十多年时间在终南山创建的艺术创作基地"红草园"，曾被全国各大电视台和报刊、杂志等相继报道多次。在全国美术界颇具影响力。

● 职务：

■ 西安市美术家协会副主席　　　■ 中国美协会员

■ 国家一级美术师　　　　　　　■ 有突出贡献的专家

■ 西安美术学院客座教授　　　　■ 陕西文史馆馆员

■ 中国花鸟画杂志编委

● 中国著名美术批评家、作家眼中的江文湛

■ 郎绍君：

描述江文湛花鸟画的风格，似以"野趣"二字为宜。作品的"野趣"，在这里指减少甚至删除了人工痕迹的"野生"状态，画法上的随意性和情感渲泄上的无拘无束，它与"人工气"、"雕琢趣"、"制作感"相反相对。雕饰的美与天然的美，在中国艺术传统中一向是并行、相悖又彼此影响的，"黄筌富贵，徐熙野逸"，曾经是中国花鸟画步入成熟期最具代表性的两种风格，它们各有价值，也各有拥戴者和观众。

■ 张本平：

江文湛的花鸟画作品是有视觉冲击力。画面上植物非常繁茂，鲜花非常灿烂，线条非常飘逸，笔墨非常灵动，意境非常深邃。体现了一种逼人的气势，这在当今花鸟画领域中是少见的。我们当前的美术界，很需要这种敢于正面迎对艺术规律的挑战而勇敢前行的艺术家。

■ 贾平凹：

他对绘画有着天生的悟性，但为了圆满一个真正画家的梦，他在生活的渊海里沉浮，四十年的岁月里，江文湛才美丽潇洒。所以他不会轻薄，也不玩那一种"强说愁"的伪深沉。

● 艺术追踪

《白孔雀》

133cm × 133cm

2005 年

江文湛

《春若有情应解语》

133cm × 133cm

2005 年

江文湛

《大坝沟初雪》

133cm × 133cm

2005 年

江文湛

《海棠》
133cm × 133cm
2005 年
江文湛

《荷趣》
133cm × 133cm
2005 年
江文湛

《涉水问春》
133cm × 133cm
2005 年
江文湛

《我爱冬山丽》
133cm × 133cm
2005 年
江文湛

《竹林幽趣》
133cm × 133cm
2005 年
江文湛

《海棠鸽子》 175cm × 95cm/1998年 江文湛

《鸽子》 175cm × 95cm/1998年 江文湛

《群鹤图》 175cm×95cm/2000年 江文湛

《梨花鸽子》 175cm×95cm/2000年 江文湛

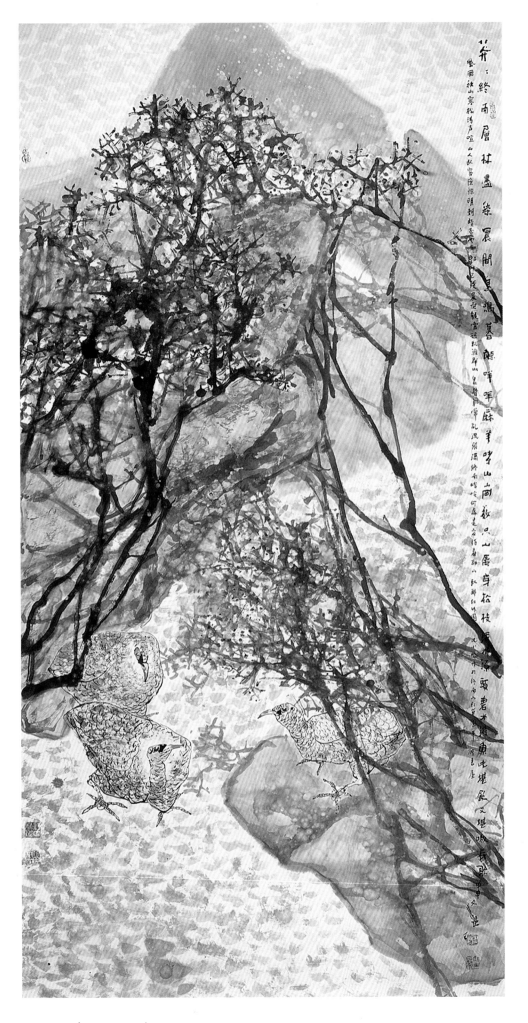

《秦岭山中》

266cm × 66.5cm

2004 年

江文湛

《涉江弄秋水》

175cm × 95cm

1998 年

江文湛

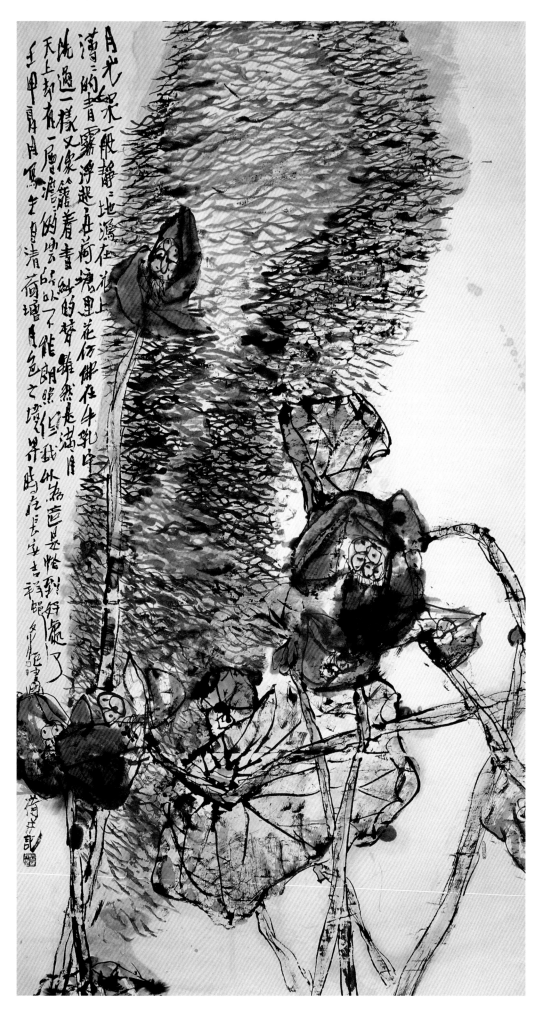

月光如水一般静静地泻在花上薄薄的青霁浮起在荷塘里花仿佛在牛乳中洗过一样又像笼着轻纱的梦虽然是满月天上却有一层淡淡的云所以不能朗照但我以为这是恰到好处酣眠固不可少小睡也别有风味的月光是隔了树照过来的荷塘月色之境界迥然在长安吉祥铭舍文湛作 壬申青月写生

荷塘月色

《荷塘月色》
175cm × 95cm
1992年
江文湛

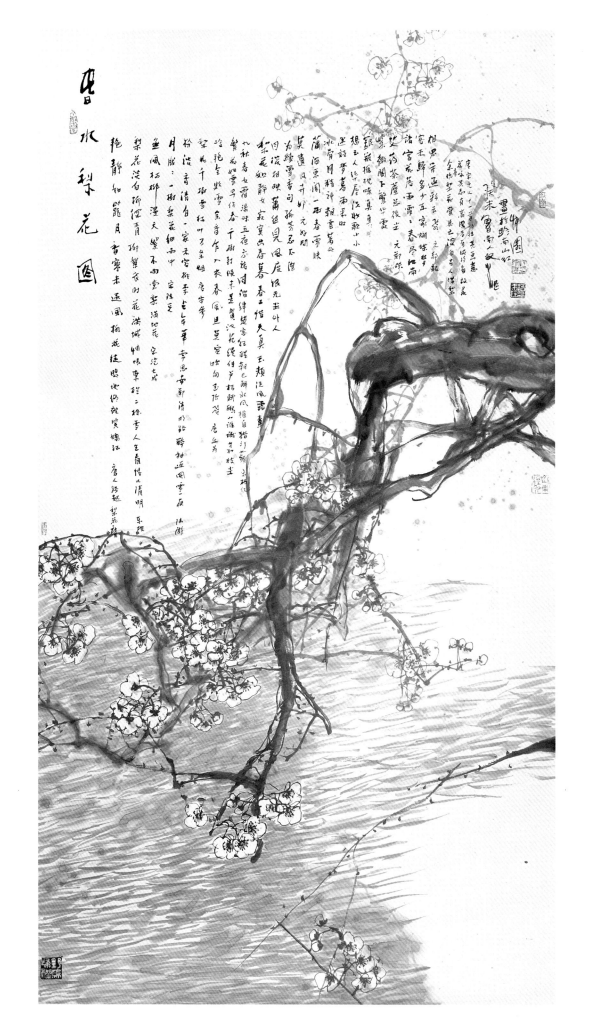

《梨花春水》
175cm × 95cm
2003 年
江文湛

《笑口常开好个秋》

266cm × 133cm

2004年

江文湛

《重彩荷花》
266cm × 66.5cm
2001 年
江文湛

《张振学艺术简介》

张振学，陕西城固人，1940 年出生，1962 年毕业于西安美术学院。

●**职务：**

■中国美术家协会会员　　　■陕西国画院专业画家

■国家一级美术师

●展览、获奖、出版及收藏：

■作品多次参加全国美展并获奖，1984年《生生不息》获第六届全国美展铜牌奖；1993年《山川依旧》获全国首届山水画展优秀作品奖；1994年《凝固的海》入选《中国现代美术全集》；作品《放怀天地外》参加1998中国国际美术年——当代中国山水画·油画风景展；1999年《依山傍水》获第九届全国美展铜牌奖；2001年《生生不息》入选"百年中国画大展"及《百年中国画集》。作品《生生不息》、《河床》由中国美术馆收藏。

1989年应邀在北京中国画研究院举办个展，同年《美术》杂志第八期发表艺评《走出安全岛——画家张振学》；2001年在陕西美术馆举办张振学《生生不息》山水画展，同时举办《张振学山水画集》首发式。

●中国著名美术批评家、作家眼中的张振学

■程征：

张振学这一位苦学派为自己的艺术苦苦折腾了三十来年，直到1985年以后方逐渐完善。完善，对于尚未成熟的画家常常作为一种目标，一种境界，无不孜孜苦求之。完善也常被看作一种标志，画家从此成熟和自立。连同先天性素质，画家经历长期准备阶段所修炼的诸艺术机能于此结构成更高阶段的有机整一体，从而产生他尚未完善之前虽期待实现却无力实现的艺术创造力量和个性优势，所谓"整体大于部分之和"。

■钱志强：

在当代长安画坛的山水画家中，张振学的画是以雄强刚健的个性风格称著的。这种雄强刚健的品格主要来自他山水画明朗强烈的色调、壮阔雄伟的山川，力拔千钧的笔线和磅礴浩荡的气势。和长安画派前辈画家及当代长安画坛山水画家相比，他的山水画似乎多了一些北方山川的雄伟险峻的力度，而少了一些朴实浑厚的亲切感。

■沈奇：

振学先生年少时生长于秦巴山间的汉中盆地，得灵动自由之心性。后南人北居，走遍晋陕北部的黄土高原，复受西北粗犷、强悍之自然环境与人文精神的熏染磨砺，铸坚质浩气之心志。善学习勤思考，讲修养，持耕耘，坐实务虚，专纯自臻，默然而沛，厚积薄发，其收获自是如期而至了。其实说到底，最关键的是画家那一份纯正高远的心态使然。身处杂语时代，欲望消解了理想，功利代替了风骨，没有良好的心态是难得不浮躁的。而秋意本天成，振学先生是一位从一开始就甘于寂寞、守道持恒的艺术家，既有艺术自律，又有长途跋涉的脚力，且正值年富力强，可以想见，在此堪可告慰的收获之后，必能以更坚实的步程，承载历史，守望当代，深入未来，迎得另一番"渐进的升华"。

■沈奇：

事实上，当今画坛上最最缺乏的还是大家气象，是那种纯正的崇高，纯正的高深之音。尖、新、巧美类的小品、精品或许也是一杯加了糖的醒人脑神的苦咖啡，却绝非精神的套餐，真正的大餐还是大品。唯有大品的存在，国画以及国画的发展也才有了可能。科林伍德说："山的美就是崇高"。具体到张振学笔下那些让人肃然起敬的山水，已不仅是美，而是壮美。

●艺术追踪

《一抹斜阳》
68cm × 68cm
2004 年
张振学

《卷不尽暮雨朝云
都付于苍烟落照》
137cm × 68cm
2005 年
张振学

《清涧》 *193cm × 166cm / 2005 年 张振学*

南山与秋色清气两相高甲申年张振学编古诗意笔 振学

《南山与秋色
清气两相高》
137cm × 68cm
2004 年
张振学

《人到无求品自高》68cm × 137cm/2005 年　张振学

《房前清水洗耳　屋后松柏沐心》68cm × 137cm/2006 年　张振学

《桃李春风一夜雨
江湖寒舍十年灯》
196cm × 98cm
2006 年
张振学

《白石洼》
68cm × 68cm
1997年
张振学

《此地本色
秋水长天》
196cm × 98cm
2006 年
张振学

《一色青山四面同 楼居如在画图中》68cm × 137cm/2005 年 张振学

依山傍水

坡新竹松寒月丰水雪社房
顶秋绿松竹宣前寒溪雾绿住江住来旧厨

《依山傍水》193cm × 166cm/1999年 张振学

神禾塬　35cm × 48cm/2005年　张振学

紫阳写生　36cm × 50cm/2006年　张振学

《因心造境》
216cm × 137cm
2000 年
张振学

《清新流畅欢悦自然》
196cm × 98cm
2006年
张振学

《怆然无语》
193cm × 166cm
2004年
张振学

《郭全忠艺术简介》

郭全忠，1944年2月生于河南宝丰。1969年毕业于西安美术学院国画系。

●**职务：**

■中国美术家协会会员　　　　　■陕西美协常务理事

■陕西省文史馆馆员　　　　　　■西安美术学院、西安交通大学客座教授

■国家一级美术师　　　　　　　■曾任陕西国画院副院长

● 展览及获奖：
■作品参加第五、六、七、八、九、十届全国美展　■《万语千言》获第五届全国美展二等奖
■《选村官》获第九届全国美展铜奖　■《早读》获第十届全国美展铜奖
■《大河故曲》获 1987 年建军六十周年全国美展优秀作品奖
■《陇东麦客》于 1993 年获首届全国中国画展佳作奖　■1998 年应邀参加上海国际美术双年展
■1998、2000、2002、2004 年参加深圳"都市水墨"国际美术双年展
■1999 年年底应邀参加在成都举办的"世纪之门·1977 — 1999 中国艺术邀请展"
■2000 年参加文化部在巴黎举办的"中国文化季·中国现代优秀水墨画及雕塑展"
■2000 年参加文化部与中国美协举办的"百年中国画大展"　■2003 年应邀参加中国美术馆"开放的时代"画展
■2003 年参加中国美协与北京市政府举办的首届"北京国际美术双年展"　■中国画研究院举办的"水墨之韵"画展
■2005 年参加第二届北京国际美术双年展　■全国政协举办的陕西当代优秀作品十人展
■2006 年参加中国画研究院举办的"笔墨经验谈"邀请展　■中国美术馆举办的"农民·农民"邀请展
■1993 年在新加坡举办个展　■1995 年在纽约举办个展　■曾先后出访香港及日本、新加坡、美国。

● 出版及收藏：
■其作品在海内外许多报刊中都有介绍和发表　■1992 年陕西人民美术出版社出版《郭全忠作品集》画册
■1997 年被中国文联评为中国画百杰　■1998 年河南美术出版社出版《长安十家·郭全忠作品》
■2000 年被文化部、中国美协聘为"百年中国画大展"艺委会委员
■陕西人民美术出版社出版《中国画名家作品精选·郭全忠》画册
■2004 年天津人民美术出版社出版《走进画家·郭全忠》画册
■2005 年中国工人出版社出版《当代名家技法图例经典·郭全忠写意人物》画册
■中国美术馆、上海美术馆、军事博物馆等专业单位都有作品收藏。

● 中国著名美术批评家、作家眼中的郭全忠

■郎绍君：（中国艺术研究院研究员、美术理论家）

　　新时期以来，他和绝大多数画家一样，寻求个性与独立，探索刻画农民形象的新途径。其探索，一是追求真实，二是追求笔墨表现。求真实就要抛弃一体化"英雄形象"的虚假和粉饰，在表现农民形象真实性的同时，表现画家自己情志的真实。求笔墨表现就要改变以往只重"好看"造型而轻视中国画特色的倾向，充分发挥笔墨的作用，并创造自己的笔墨个性。这两方面的追求，表明郭全忠人物画的拨乱反正特性，也表明他选择了一条推进人物画演进的大道。

■郎绍君：（中国艺术研究院研究员、美术理论家）

　　在许多人心目中郭全忠算得上同代画家中的佼佼者，他很早便打开了事业上的通途而知名于全国，但当你抵近观察时你会发现在他身上似乎困顿的及受堵阻的心理要比成功者的得意心理成分更多，似乎不断地处于矛盾惶惑的冲袭下。仅从画面上看，那些神采动人的人物形象，扎实娴熟的造型功力，奔放多变的笔墨透着一股挥洒自如的轻松，便却往往与他临案苦思茫然若失时的苦相形成很大的反差，当然，人生活在社会中特别是而今变化无常的环境中挫折是免不了的，但他对待"挫折"好像也不会"淡化"，而是啃硬骨头般地跟自己较真，那股穷究不舍的气势，活像个冲锋的战士一副凶猛的拼杀劲。

● 艺术追踪

《情系西部》
116cm × 185cm
2001 年
郭全忠

《不再偏僻的山庄》
179cm × 96cm
1998 年
郭全忠

戊寅年
春節宿於西安
龍育村話
金忠作

母任氏諱名吾新蔡人家境程度家國中不撫養兒女
含辛茹苦燃盡生命最後一息人間艱危茂一便盡終
用積勞成疾身患絕症于庚申年春蕊于遠然長
辭乃南陽不幸摔于吾壽陰福厚愛不曾新答蒼
育之恩亦未及時冠上達一终悔恨交集十載不明自對
艾逝宿中每釜者節家之歡聚唯我梵香長跪惘焄
獨此思念之情不巳辛末忌日繪吾初五追記郭全忠

《麦垛子》
150cm × 120cm
2002 年
郭全忠

《慈母手中线》
168cm × 68cm
1991 年
郭全忠

《聚焦》

120cm × 218cm

2000 年

郭全忠

中国球迷之二呐喊篇 120cm × 160cm/2002年 郭全忠

相面 69cm × 77cm/1998年 郭全忠

選村官 130cm × 183cm/1999年 郭全忠

运牛图 46cm × 68cm/2003年 郭全忠

《农民问题》
158cm × 190cm
2004 年
郭全忠

《织布机》
120cm × 160cm
2003 年
郭全忠

《归》
125cm × 125cm
1993 年
郭全忠

《种子》
68cm × 68cm
1993 年
郭全忠

《黄河古渡》 1997年 郭全忠

《少女》 179cm × 96cm/1997 年 郭全忠　　　　　　　　　《月光曲》 136cm × 68cm/1995 年 郭全忠

《早读》
144cm × 288cm
2003 年
郭全忠

《罗平安艺术简介》

罗平安，湖北黄陂人，1945年生于西安，毕业于西安美术学院中专部，后师从于方济众先生1981年调入陕西省国画院任创研室副主任，1985年调入陕西美术家协会任书记处书记。

● **职务：**

■ 中国美术家协会会员　　　　　　■ 西安美术学院客座教授
■ 中国书画收藏家协会学术委员　　■ 陕西省美术家协会常务理事
■ 陕西艺术委员会委员　　　　　　■ 陕西国画院画师
■ 国务院授予"突出贡献专家"　　　■ 国家一级美术师

● **展览、获奖、出版及收藏：**

■ 作品参加第六、七、九届全国美展，并获第七届全国美展铜奖
■ "中国美术批评家"提名展　　■ "水墨本色"提名展，一、二届"北京国际水墨画展"
■ "当代中国山水画油画风景展"　　■ "百年中国画展"　　■ "东方之韵2003中国水墨展"
■ 一届二届"全国画院双年展"　　■ 受邀参加《开放的时代纪念中国美术馆建馆40周年》大型馆庆学术展
■ 1986年由中国画研究院在北京举办"罗平安画展"
■ 1988年由中国美术家协会、中国画研究院、中国美术馆主办"罗平安画展"
■ 1992年出访德国参加"中国水墨画七人展"　　■ 1994年参加新加坡"中国水墨画十家"画展
■ 应邀在上海、湖北、山东、台湾、西安举办个人画展　　■ 多次参加全国专业美术邀请展
■ 作品并在日本、香港、瑞士、丹麦、冰岛等国家和地区展出　　■ 1985年4月出访日本　　■ 出版有《罗平安画集》
■ 四十余件作品被中国美术馆、中国画研究院、江苏省美术馆、上海刘海粟美术馆、美国哈佛大学东方艺术博物馆等收藏。

●中国著名美术批评家、作家眼中的罗平安

■郎绍君：

罗平安的最大成功之一，就是创造了属于他自己的一套笔墨符号：点和短线的组合以及以点和短线的方式出现的色彩。

前人也使用点与短线，罗平安的特殊处在于，他用点和短线（尤其是短线）描绘一切，包括物形、动势。气氛。情调。质感等。愈到近几年，他的短线和点愈富于变化，表现力愈丰富。

■刘骁纯：

他的画不是丝竹管弦乐器的交响，而是弹拨打击乐器的点震。一幅幅看他的画，感觉他的不器、指法、节拍简直丰富极了。时而如大钹，或双击、或单击、或磨击、或闷击，时而如重鼓，或重打、或轻捶、或滚击、或边叩；时而如三弦，一拨一顿，时而如古筝，一挑三扬；时而如军鼓，槌羁伴着簧弹，时而如手鼓，鼓音衬以环声；时而如响板，急如倾雨，时而如大钟，从容震荡；时而如大锣，喤喤然哑声又止，时而如沙锤，唰唰然单音返复；时而如鎛、铙、钲、铎、磬齐鸣，众生一响，时面如鎛、梆、板、锤、铃、筒分击，独震环宇。

■范迪安：

罗平安是当代长安画派中的一员大将，也是一位代表性人物。这个位置是他用相当的艺术功力和强烈的个性面貌赢来的。他的作品拥有长安画派的一般特征，即鲜明的地域文化品格，取景的视野落在极平凡的乡村农舍和塬头坡地上，让人认识和感受辈辈相传的西北乡土历史。但是，他的画作反映了清醒的当代意识和当代的地域性意识，突出了把西北自然与现代形式结合起来的观照角度与表现方式。

■周韶华：

这种整体感，或谓总体黄土气派，整体的西北风姿，程式化的群体符号序列，我把它称之为罗平安的"味象符号"。"味象符号"可以单独品味，更主要的是整体的符号群强化视觉感应，让人"得意忘象"。这是罗平安对大千世界的意会、灵悟的结果。其中包含着他对黄土高原形象原型的长期观察、揣摩、深情、理解、同化、再组合和再创造。反映了他对客体世界的原型刺激汇集量的认识质量、加工再造质量和对生活原型的情感深度，尤其显露出他对具象的超越能力，对真、善、美、的更纯粹的追求。这种"味象符号"的创造，在当今中国画坛上是独一无二的，他用作品证明，走的是一条自己的路。

■邵养德：

罗平安的山水画被行家们称为"平面构成"或"笔墨构成"也许不无道理，不过，在我看来，他仿佛乘直升飞机，居高临下，以坚挺的笔锋喷射出浓浓的墨团，五颜六色，千紫万红，只瞄准一个目标，一个焦点——沉吟的黄土地，尽情的投射，弹痕累累的大地狼藉一片，这就是他创作的画面，由于作者立足于全方位（混沌观念），追求多层次（"意识流"），选择的角度丰富多彩，千变万化却又归于"一画"——作者在展示画面时，处处设防，步步为营，寸土必争，寸步不让。画面既是封闭的，严以防守；又是开放的，宽以接纳。

●艺术追踪

《无题》
180cm × 98cm
2004 年
罗平安

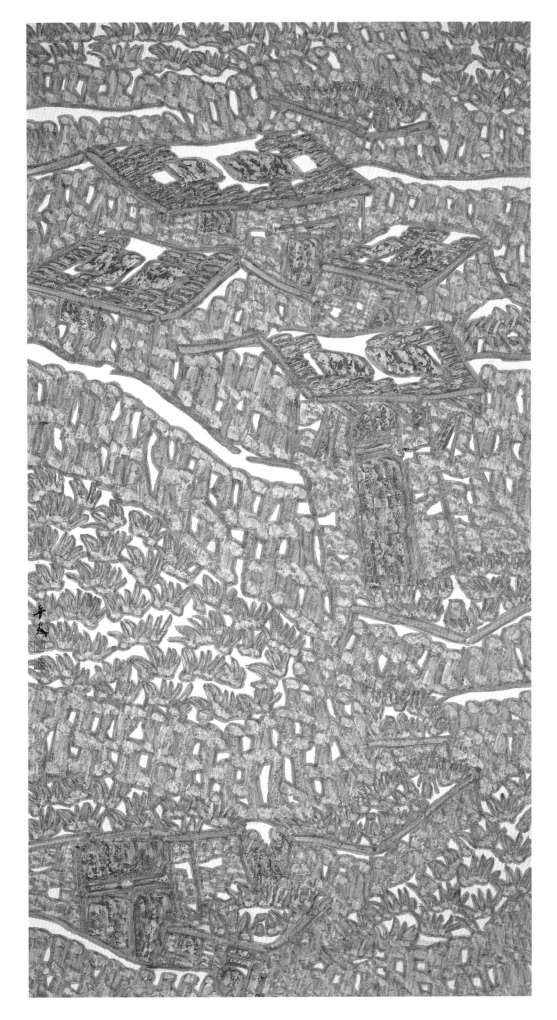

《无题》
180cm × 98cm
2004 年
罗平安

《无题》
180cm × 98cm
2004 年
罗平安

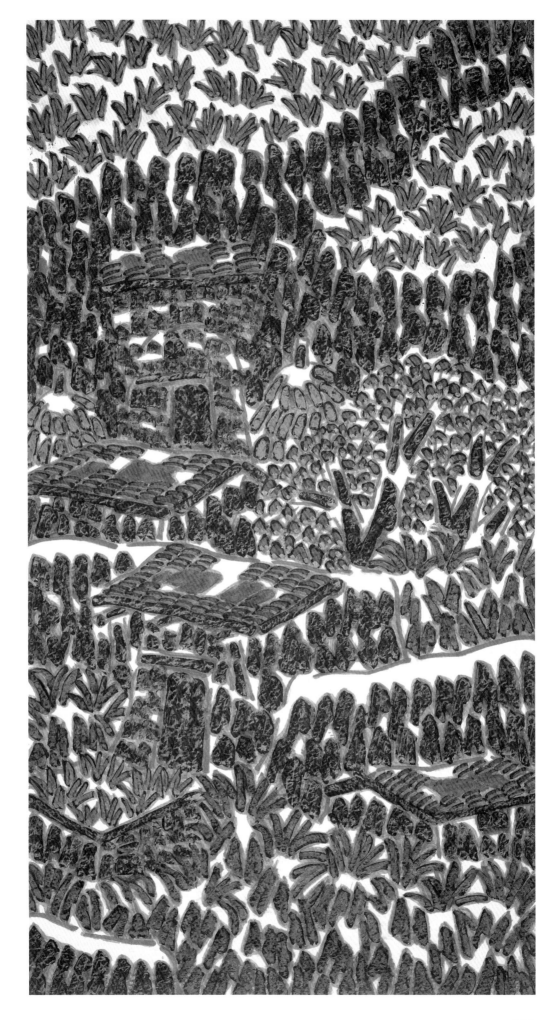

《无题》
180cm × 98cm
2004 年
罗平安

《无题》
180cm × 98cm
2004 年
罗平安

《无题》
146cm × 175cm
2001 年
罗平安

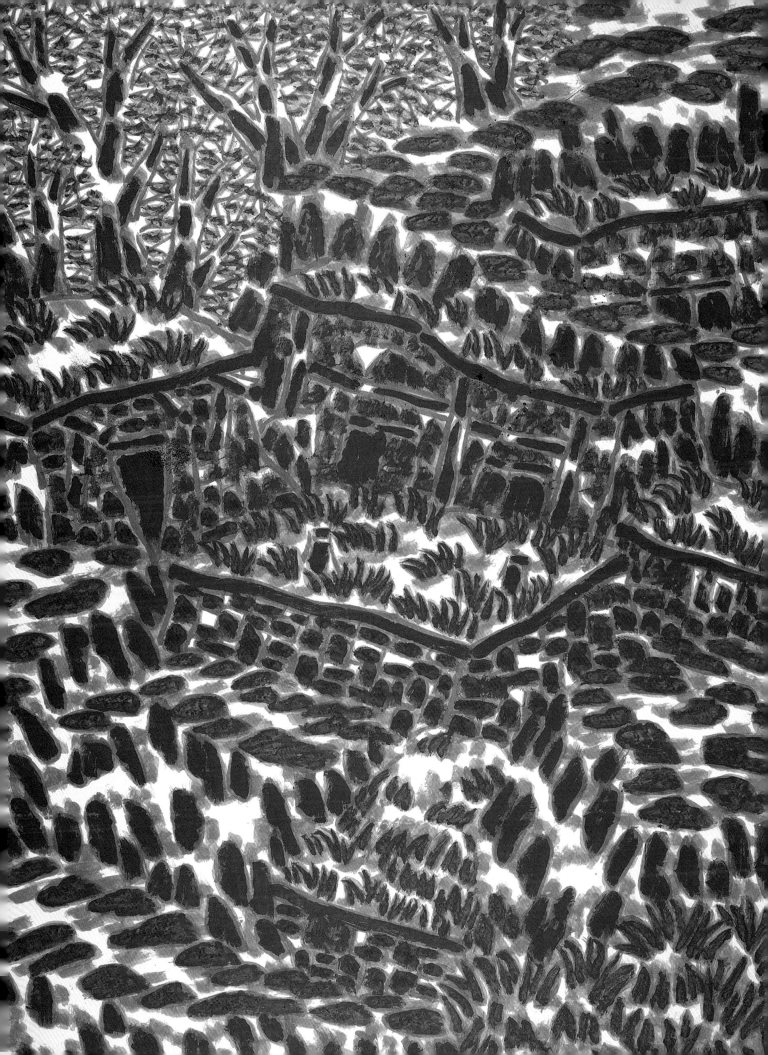

《无题》
98cm × 180cm
2004 年
罗平安

《无题》
145cm × 175cm
2001 年
罗平安

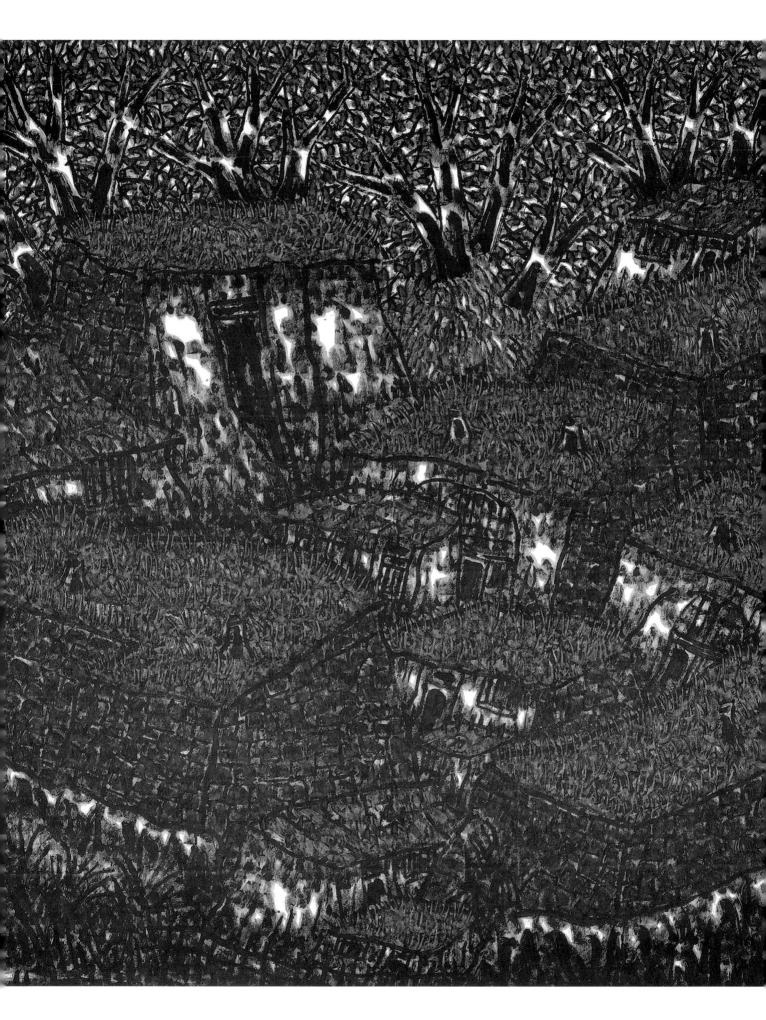

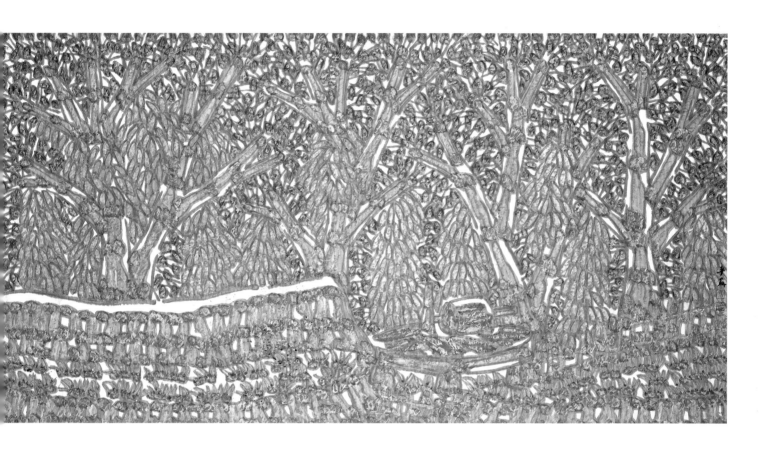

《无题》
145cm × 175cm
2001 年
罗平安

《无题》
98cm × 180cm
2004 年
罗平安

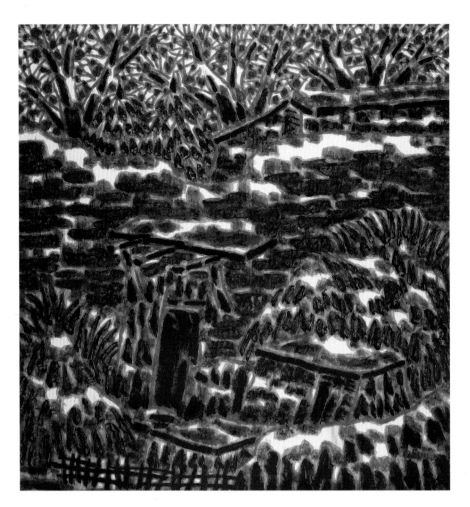

《无题》
145cm × 175cm
2001 年
罗平安

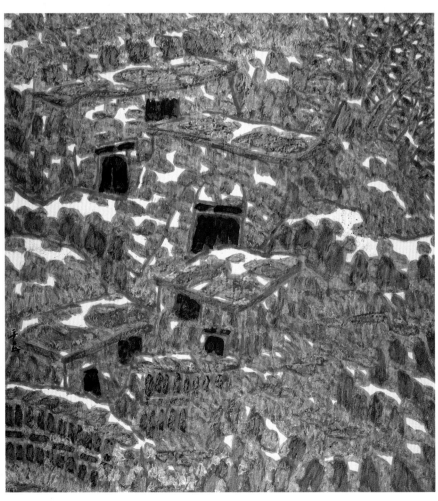

《无题》
145cm × 175cm
2001 年
罗平安

《无题》 98cm × 180cm/2004 年 罗平安

《无题》
68cm × 68cm
2001 年
罗平安

《无题》
68cm × 68cm
2001 年
罗平安

《无题》 98cm × 180cm/2001 年 罗平安

《陈国勇艺术简介》

陈国勇，号清瘦客，1948年生，重庆丰都人，1997年毕业于四川美术学院中国画系，1978年考入西安美术学院中国画系，攻读山水研究生，1980年毕业留校任教。

●职务：

■西安美院国画系副教授　　　　■硕士研究生导师

■西安美院"陈国勇工作室主持　■陕西省收藏家协会副会长

■陕西省司法鉴定委员会委员　　■陕西省美术博物馆艺术鉴定顾问

●**展览、获奖、出版及收藏：**

■三十多年来，陈国勇一直着力于中国山水画的探索和创作，作品追求中国山水的精神内涵，讲究笔墨技法和个人风格的独特性。在西安、广州三次举办个人画展，并参加了海内外的许多重要展览 ■1980年，山水作品《巴山郁秀》入选第二届全国青年美展（荣获二等奖） ■1986—1996年，山水作品六次入选"中日书画联展" ■1992年，分别在西安、广州、巴基斯坦举办个人画展 ■1993年山水作品《卧云图》入选"全国第二届中国山水画展" ■1994年，山水作品《云横图》入选"当代中国画邀请展" ■1996年，应法中友协邀请访问法国、荷兰、比利时，并在法国拉比轩艺术博物馆举办"法中文化艺术交流展" ■1997年，25幅作品入选"陕西当代中国画展"，并分别在西安、北京、南京巡回展出 ■1998年，三幅作品入选"回首长安—现代水墨收藏邀请展" ■2000年，三幅作品入选"新中国画大展"，分别在上海、南京展出 ■2001年，《金色狂舞》、《共生共荣和谐共存》入选"西部·西部国际水墨邀请展" ■2003年，《山野幽居》入选西安美院赴法国文化艺术交流展 ■《春》《夏》《秋》《冬》参加西安美院赴韩国文化艺术交流展 ■《高山流云》参加北京中华世纪坛的《今日中国美术大展》 ■《家山晨雾》参加首届北京国际美术双年展—中国十所美术院校教师作品展 ■大量作品发表国内权威、重要的专业刊物 ■其中，《巴山郁秀》、《高山流云》等作品入选《中国现代美术全集》、《中国当代美术图鉴》、《中国当代山水画集》、《今日中国美术》等重要大型画册 ■《终南山瑞雪》、《少陵塬下》等一批有代表性的作品在《荣宝斋》、《美术观察》、《艺术界》、《画刊》、《中国书画》等国内重要学术期刊发表 ■2005年末，由"中国画收藏导报"组织评选，被评为"2006年度当代最具升值潜力的国画家"。

●**中国著名美术批评家、作家眼中的陈国勇**

■**殷双喜：**

陈国勇写山川之灵性、云之变幻，求无形中变化之无限，无论是横云、卧云，还是滚云、长云，均在烟霞流润中涌进，"发笔得峭爽劲逸之气"。情绪所至，真情所依，意将自然之感性，汇入古典美学之理性和个人风格的特性，达到更高的境地。石涛说："漫将一砚梨花雨，泼湿黄山几段云。"这种人神和谐、天地对话的境界，对陈国勇来说，正是一种启迪。

■**贾方舟：**

陈国勇的山水画给我的印象是非程式化的，是随感而发的、随心所欲的。他从不拘泥于固定的笔墨程，从不以不变的笔墨去应对千变万化的自然。所以，他的山水画能呈现出并不单一的风格面貌。从皴擦点染，到图式结构，都各个有别。这或许跟他提出的"不重复古人、不重复今人、不重复生活、不重复自己"的艺术主张有直接关系，但更重要的我想还在于，他作画时总是把尊重自己的感受放在首位。当用笔用墨必须服从他的特定感受时，一成不变的笔墨程式便难以厮守，就构成了他的山水画的多变性。

■**李小山：**

国勇画自己的画，追随自己的心灵的足迹，一步步向前探索，他已走过的路大家有目共睹，他前面的路包含着大家的期待。我想补充一点，国勇尽管超越了地域性限制，对各种资源和养料都能得心应手地运用，但他仍然需要进一步跨入当代文化的开阔地，眼下是一个很好的机会。因为，国勇的爆发力是足够的，能够跨越各种障碍，获得一种真正的艺术的自觉，摘去他的理想之果。

●**艺术追踪**

《雁南飞》
132cm × 70cm
2003 年
陈国勇

《秋高图》
132cm × 70cm
2005 年
陈国勇

《秋山远眺》 70cm × 132cm／2004年 陈国勇

《祥云图》 70cm × 132cm／2003年 陈国勇

少陵原下

《少陵塬下》
98cm × 56cm
2002 年
陈国勇

《乱云之春》
80cm × 60cm
2002 年
陈国勇

《卷云之夏》
80cm × 60cm
2002 年
陈国勇

《流云之秋》
80cm × 60cm
2002 年
陈国勇

《卧云之冬》
80cm × 60cm
2002 年
陈国勇

《蜀山水碧蜀山青》

124cm × 250cm

2006 年

陈国勇

蜀江水碧蜀山青

丙戌年初春返故里之感此盛受嘉此幅 陈同生

《雾起白帝城》
132cm × 70cm
2004 年
陈国勇

岚光山色

《岚光山色》
132cm × 70cm
2005 年
陈国勇

《南湖晨曦》 *70cm × 132cm/2003年* 陈国勇

《乱云闹巴山》 *70cm × 132cm/2004年* 陈国勇

锦江春雨来天地
玉垒浮云变古今

乙酉年十月陈国勇画鱼石居杜工部诗句吾作此图

遥望玉垒山 乙酉年 陈国勇

《遥望玉垒山》
132cm × 70cm
2005 年
陈国勇

《春去春又回》
132cm × 70cm
2005 年
陈国勇

《金丝峡》
132cm × 70cm
2004 年
陈国勇

《张立柱艺术简介》

张立柱，1956年生，陕西武功人，1978年入西安美院国画系读本科暨研究生，1984年毕业留系任教，1991年调入陕西国画院从事专业创作。

● **职务：**

■中国美术家协会会员　　　■一级美术师

■陕西国画院院长　　　　　■陕西省文联委员

■西安交通大学兼职教授　　■西安美术学院客座教授

● **展览、获奖、出版及收藏：**

■作品十余幅参加国家文化部、中国美协主办的全国性美展和数十幅作品参加国际国内其他重要学术展览

■其中《丝路风情》（合作长卷）获第七届全国美展金奖

■《老堡子》入选《百年中国画展》　　■作品入选蒙特卡罗国际现代艺术大展

■第二届全国中国画展　　■第一、二、三届全国画院优秀作品展

■陕西当代中国画展·风格探索展

■全国政协举办的当代国画优秀作品展——陕西十人作品进京展等

■作品入选《中国现代美术全集》中国画卷与壁画卷和《百年中国画集》。

■作品被中国美术馆、浙江美术馆等学术团体及个人收藏。

● 中国著名美术批评家、作家眼中的张立柱

■ 中国画廊联盟研究报告：

张立柱是一位极具鲜明艺术个性和强烈的水墨表现型的画家,不事张扬在艺术的追求上,最为看重和坚守的是内在的精神家园。在当代水墨探索的过程中,形成了自己对水墨表现的稳定观念、表现手法及表现题材等。可以说张立柱是当代中国水墨表现人物画家的重要代表。

■ 贾方舟：

在张立柱的家园系列中,除了那些日常化的生活和劳动场景外,在他画中反复出现的就是那棵根深叶茂的老槐树。它一而再地据守在画面的主体位置,其象征意义是不言自明的。与其说画家是在画一棵树,不如说他是在画历史。这棵阅尽人间悲凉与沧桑的老树就是农耕文明的见证。时代的变迁,社会的沿革,岁月的新旧交替,全在它的视野之中。初生的喜悦,离世的悲痛,它都历历可数。然而,无论是改朝换代,还是社会转型,它都依然如故,真是关中几度秋,"老槐尚茂密"。它就是中华文化的根脉,也是张立柱无法割断的地缘与血脉。

■ 刘骁纯：

乡土风情在解构中重组并越来越成为精神表达的符号,关注重点越来越远离农村而趋近生命问题。这种越来越强烈的表现性,可以视为石鲁的表现主义画风的延续,但区别是明显的:石鲁是文人式的书愤,张立柱却是农民式的悲歌。张立柱在不断发掘自己心灵深处的精神积淀时,逐渐发现了一种深深镌刻着农民集体无意识的自我,这引发了他对农民忍耐、抗争、充满悲剧命运的顽强生命力的敬畏、感叹、并由此上升为对生命的普遍追问。

■ 陈孝信：

这种干裂秋风般的"长吼",似来源于画家内心深处"失乐园"的强烈痛楚情绪,于是便有了"失乐园"与"回归家园"的双重变奏,这无疑是比生活本身更深一层的感悟。

■ 王宁宇：

现有的西方和中国传统技术不能解决西部人面对的自然与心理世界所感应到的呼唤。西部的生活呼唤和造就的是另一种型号的艺术家,大格局的思考促进我们在自己身上寻找西部中国画艺术的生长点,在陕西青年画家中,我认为"赵"(望云)门"私塾弟子"的张立柱是比较典型的一位。

■ 沈奇：

潜心研读立柱画风者自会发现,那些看似写实的乡村叙事,在笔浓墨重的背景语言笼罩的分割下,已化为符号化的记忆碎片,而那些看似无端插入的抽象背景,反而凝重为自足自明的对抗性语言,这种"角色"的暗中转换,不仅因陌生的差异造成视觉的冲击力,更有深刻的文化内涵渗化于其中。特别应该指出的是,立柱的绘画语言,颇得长安画派,尤其是石鲁表现主义画风的遗脉,同时不断汲取新的语素,一手伸向传统,一手伸向民间,且不排拒对现代审美意识的吸收创化,既具个性,又有涵纳;汉语意识强,本土意味足是真正有黄土味、西北风的一脉路向。

● 艺术追踪

《故乡一家人》
192cm × 244cm
张立柱

《关中老鼓》
191cm × 180cm
张立柱

《坡底老户》
170cm × 85cm
张立柱

《酣雷》
182cm × 287cm
张立柱

《老堡黄昏》
96cm × 85cm
张立柱

《走出槐庄》之一
173cm × 135cm
张立柱

《走出槐庄》之二
173cm × 135cm
张立柱

《走出槐庄》之三
173cm × 135cm
张立柱

《槐庄人》之一 136cm × 68cm/ 张立柱　　　　　　　　《槐庄人》之二 136cm × 68cm/ 张立柱

《槐庄人》之三 136cm × 68cm/ 张立柱   《槐庄人》之四 136cm × 68cm/ 张立柱

《槐庄人》之五 136cm × 68cm 张立柱　　　　　《塬上老堡》 136cm × 68cm 张立柱

《大奔》
134cm × 173cm
张立柱

《无语》
80cm × 100cm
张立柱